AZORRAGUE

AZORRAGUT

ANTÔNIO CARLOS COSTA

AZORRAGUE

OS CONFLITOS DE CRISTO COM INSTITUIÇÕES RELIGIOSAS

Copyright © 2018 por Antônio Carlos Costa
Publicado por Editora Mundo Cristão

Os textos das referências bíblicas foram extraídos da versão *Almeida Revista e Atualizada*, 2ª edição, 2011. Eventuais destaques nos textos bíblicos e citações em geral referem-se a grifos do autor.

Todos os direitos reservados e protegidos pela Lei nº 9.610, de 19/02/1998.

É expressamente proibida a reprodução total ou parcial deste livro, por quaisquer meios (eletrônicos, mecânicos, fotográficos, gravação e outros), sem prévia autorização, por escrito, da editora.

CIP-Brasil. Catalogação na Publicação
Sindicato Nacional dos Editores de Livros, RJ

C87a

    Costa, Antônio Carlos
    Azorrague: os conflitos de Cristo com instituições religiosas / Antônio Carlos Costa. - 1. ed. - São Paulo: Mundo Cristão, 2018.
    272 p. ; 21 cm.

    ISBN 978-85-433-0336-9

    1. Vida cristã. 2. Cristianismo - Jesus Cristo - Ensinamentos. 3. Fé. I. Título.

18-50982   CDD: 248.4
                               CDU: 27-584

Categoria: Teologia

Publicado no Brasil com todos os direitos reservados por:
Editora Mundo Cristão
Rua Antônio Carlos Tacconi, 79, São Paulo, SP, Brasil, CEP 04810-020
Telefone: (11) 2127-4147
www.mundocristao.com.br

1ª edição: setembro de 2018

A Luiz Vanderley Vasconcelos de Lima, meu querido Vandi. Nossa amizade prova que a Igreja é viável e que o cristianismo traz beleza às relações humanas.

Sumário

Agradecimentos	9
Apresentação	11
Prefácio	15
Introdução	19

1. Cristo e o moralismo religioso do seu tempo   29
2. Cristo e a tradição religiosa socialmente
construída   63
3. Cristo e a religião sem alma   117
4. Cristo e os líderes religiosos do mal   167
5. Cristo e o grande pecado da religião   225

Conclusão   253

Notas   257

Sobre o autor   271

Agradecimentos

À Igreja Presbiteriana da Barra da Tijuca, por me proporcionar condições de trabalho tão boas. Além de garantir meu sustento e acolher com paciência imensa meu ministério de pregador, permite-me ter tempo para organizar manifestações de rua, subir o morro, dar entrevistas, dedicar-me às redes sociais, pregar em conferências, plantar igrejas, ler muito e escrever. Amo a igreja a que pertenço.

À Editora Mundo Cristão. Mark Carpenter, Renato Fleischner, Ricardo Dinapoli e Maurício Zágari, sua equipe tem me ajudado a realizar o sonho de publicar meus livros, num ambiente de sinceridade, transparência e profissionalismo.

À minha preciosa família: Adry, Pedro, Matheus e Alyssa. Sou grato a Deus por tê-los ao meu lado, em vida, e por saber que os terei por toda a eternidade, porque Deus é bom e fiel à sua aliança.

Apresentação

PREPARE-SE: LER ESTE LIVRO não o fará dar gritos de alegria nem o deixará com um espírito leve. Na verdade, é mais provável que lhe deixe um gosto amargo na boca ou, no mínimo, um certo incômodo. Ainda assim, é uma leitura necessária e, diria até, imprescindível, por denunciar um problema real e grave: o potencial tóxico que há em certos círculos religiosos quando eles se tornam destituídos de misericórdia, graça, compaixão e amor. Não é um assunto qualquer.

Por não se tratar de um assunto qualquer, pede que não seja tratado por um autor qualquer. E Antônio Carlos Costa é tudo, menos um autor trivial. Antônio é alguém que ama profundamente a Deus, o evangelho de Cristo e a Igreja, e que tem dedicado cada um dos seus dias a lutar de modo pragmático em favor daquele que a Bíblia chama de "o próximo". Junte-se a isso um conhecimento teológico plural e o resultado é alguém que procura viver no púlpito e nas ruas a teoria e a prática do amor cristão.

Antônio trata do tema deste livro com propriedade e cortando na própria carne, pois, como pastor presbiteriano, trafega há décadas pelo ambiente da religião institucional. É, portanto, testemunha ocular do problema que analisa nas páginas a seguir. Com isso, Antônio não fala da questão de um ponto de vista externo ao problema nem a partir de uma perspectiva meramente bibliográfica, mas com base em sua larga experiência de vida — e de vida eclesiástica. É dessa dialética entre o conhecimento escriturístico e a observação de campo que nasce seu brado de alerta.

A defesa apaixonada de Antônio daquilo em que acredita por vezes encontra oposições. É natural, em especial num universo tão heterogêneo quanto o do pensamento teológico — e, até, ideológico — cristão. Ainda que haja divergências de pensamento, é importante que o leitor sorva os alertas que ele faz nesta obra, analise, reflita, dialogue e, se perceber que as denúncias de Antônio fazem sentido, ajude a buscar caminhos para sanar o que está fora de prumo. E isso, claro, sempre se utilizando de ações e debates bíblicos e, logo, polidos e corteses.

A Editora Mundo Cristão tem como missão publicar livros que ajudem a promover a transformação de vidas. Muitas vezes, essa transformação começa pela percepção de problemas que carecem da atenção da Igreja, a fim de que se possa pensar em soluções efetivas — e, sempre, bíblicas. Reconhecer que problemas existem em nosso meio certamente não é algo agradável, mas, sem esse reconhecimento sincero e honesto, não se pode dar o primeiro passo rumo às soluções. Sem diagnosticar uma doença, não se pode tratá-la e, por fim, curá-la.

Definitivamente, este não é um livro destinado a parar na estante da biblioteca, mas para ser carregado para rodas de discussão, pelas ruas e por ambientes de estímulo ao pensamento. É uma obra que pede consequências — que venham não para a controvérsia, mas para a edificação.

Que Deus use as reflexões de Antônio Carlos Costa e os debates que elas podem vir a proporcionar para promover o bem da Igreja, o aperfeiçoamento dos santos e a glória do seu nome.

Boa leitura!

MAURÍCIO ZÁGARI
Editor

PREFÁCIO

HÁ ALGUNS ANOS, depois de uma conversa com um conhecido sobre os descompassos e problemas da igreja evangélica atual, ele me perguntou: Você ainda acredita na igreja de Cristo? Minha resposta foi simples e direta: Acredito e muito, pois os cristãos estão tentando destruí-la durante 2000 anos e ainda não conseguiram! A igreja só pode ter sobrevivido por milagre de Deus. Quanto absurdo e barbaridade tem sido feito em nome de Deus. De fato, o que a cristandade tem feito em sua história marcada por heresias, divisões, conflitos, violência e maldade, impressiona e entristece qualquer discípulo de Jesus.

Quero aqui parabenizar meu querido irmão pr. Antônio Carlos Costa e a Editora Mundo Cristão pelo lançamento desta obra: *Azorrague: Os Conflitos de Cristo com instituições religiosas*. Essa reflexão é absolutamente importante e necessária, pois as enfermidades da religiosidade destituída de espiritualidade bíblica são talvez o maior problema da igreja cristã. A verdade, porém, é que nunca foi diferente.

Os personagens bíblicos chamados por Deus sempre sofreram e foram rejeitados e incompreendidos pelo povo. Os profetas, quase sempre, perseguidos e maltratados. Jesus, totalmente rejeitado. E, por quem? Pelos religiosos de boa qualidade de seu tempo. Os fariseus eram os mais respeitáveis do contexto religioso da época do NT (por isso são tão criticados — deles se esperava o melhor). Pouca gente parece entender que as palavras duras e de juízo de Jesus nos evangelhos, quase que exclusivamente, são dirigidas contra religiosos.

Temos de admitir. Há algo muito perigoso e assustador na religião institucionalizada. Parece que a maldade humana, num processo de autoengano, de modo inconsciente, elege Deus como aliado de suas práticas. Quando isso acontece, não há limites para a perversidade humana. A pretensa legitimidade divina abre as portas do inferno. Não é sem razão que Jesus e os primeiros cristãos foram entregues à morte por religiosos. A inquisição medieval perseguiu e matou em nome de Jesus. Religiosos, católicos e protestantes, inclusive ministros religiosos, ajudaram a acender os fornos para queimar judeus na época do nazismo. Milhares de cristãos e de outras minorias foram mortos recentemente pelo dito Estado Islâmico. Milhares de assassinatos marcam a história dos países comunistas, cuja doutrina funciona como religião. Por séculos, milhares foram escravizados e mortos por gente dita crente, inclusive com justificativa religiosa. A intolerância religiosa, às vezes homicida, tem sua marca no paganismo, no judaísmo, no cristianismo (católico, protestante, ortodoxo), no islamismo, no hinduísmo, no budismo, no xintoísmo, praticamente em toda expressão religiosa humana.

A leitura cuidadosa dos evangelhos nos revela que Jesus, ao proclamar a chegada do Reino, marcado pela graça e pelo amor incondicional do Pai, confrontou essa enfermidade da alma, que fez sofrer o judaísmo da época e tem feito sofrer a igreja cristã e evangélica de nossos dias. A doença é a mesma. Ela é mortal. Está em mim; está em você. Precisamos de cura. Precisamos de salvação. Somente uma igreja que se volta para as Escrituras, que vigia o coração, que busca uma espiritualidade saudável e que principalmente entende o que significa misericórdia e graça, pode estar em sintonia com Jesus e a Palavra Divina.

Este livro chega em boa hora. Nunca senti tanto peso ao ver como tanta gente está cheia de ira, ressentimento e ódio, gastando toda sua energia em conflito contra seus irmãos. Nunca vi tanta gente brigando por coisas pequenas. Como existe desequilíbrio e ataques nas redes sociais. Que mundo religioso complicado é esse em que estamos vivendo. É preciso confrontar, questionar e realinhar nossa maneira de ser. Sem autocrítica não iremos a lugar algum.

Se não percebermos nossa enfermidade e não buscarmos com lágrimas e humildade a misericórdia do Pai, acabaremos nos destruindo. Se não sentirmos a dor do mundo e não formos mobilizados para mostrar graça concreta por meio de ações que anunciem a chegada do Reino, estaremos indo na direção equivocada.

Deus abençoe o pr. Antônio Carlos Costa e seu desejo de transmitir uma reflexão tão difícil de ser digerida, mas tão necessária em nosso tempo.

LUIZ SAYÃO

Introdução

Tornei-me membro de uma instituição religiosa aos 20 anos.[1] A minha decisão intelectual de tornar-me cristão fez-me compreender, por meio do contato com o evangelho, que o cristianismo ensina a reconciliação dos seres humanos com Deus como algo individual, mas não individualista. A fé cristã move o seguidor de Cristo a se unir aos demais cristãos. Os motivos são os mais variados: a comunhão cristã fortalece a fé, sedimenta valores e confirma a nova identidade do convertido. Tornar-se membro de uma igreja local proporciona o que o sociólogo luterano austríaco Peter L. Berger chama de estrutura de plausibilidade: as doutrinas, embora independam da autoridade da Igreja para serem compreendidas como reveladas, tornam-se plausíveis quando professadas em ambiente comunitário.[2]

Essa é a razão do apelo veemente do escritor de Hebreus: "Não deixemos de congregar-nos, como é costume de alguns: antes, façamos admoestações [isto é, tornemos a verdade cada vez mais plausível] e tanto mais quanto vedes que o Dia se aproxima" (Hb 10.25). Em 36 anos de cristianismo, jamais deparei com cristão de vida frutífera e bela fora da comunhão da Igreja. O Espírito Santo não isola indivíduos, mas cria uma nova comunidade.[3]

Homens e mulheres que vivem a experiência da comunhão cristã se enriquecem mutuamente mediante o compartilhamento de seus dons e talentos (Cf. 1Co 12). Parte do que nós, cristãos, somos deve-se às multiformes manifestações do amor divino por meio da singularidade da vida de cada membro da Igreja de Cristo. Privar-se do ambiente de amor fraterno de uma igreja local significará, sempre, perder a oportunidade de ser instrumento da misericórdia de Deus na vida dos irmãos e não se permitir ouvir a voz, receber o abraço e contemplar o sorriso do Criador por meio da graça que se encarna na vida dos discípulos de Cristo.

Deus quer que a Igreja se transforme em evidência sociológica da veracidade, beleza e eficácia do evangelho. É evidente, nas páginas do Novo Testamento, que Deus almeja mostrar à humanidade, por meio da Igreja, como seria a vida neste planeta se todos vivessem sob o governo de Cristo e se amassem como os cristãos amam uns aos outros. Como declarou Francis Schaeffer no Congresso de Lausanne, em 1974:

> Toda empresa de magnitude, ao construir uma fábrica muito grande, primeiro constrói uma fábrica-piloto a fim de verificar se o seu plano vai funcionar. Toda igreja, toda missão, toda escola cristã, enfim, todo grupo cristão, indiferentemente do círculo social maior a que pertença, deveria ser uma fábrica-piloto, em que o mundo pudesse observar e ver a beleza das relações humanas, contrastando com o horror daquilo que o homem moderno projeta em sua arte, em sua escultura, em seu cinema, e em sua maneira de tratar as pessoas. É mister que se veja na igreja uma ousada alternativa à maneira moderna pela qual as pessoas tratam umas às outras, como animais e máquinas. É preciso que haja algo tão diferente que eles prestem atenção; algo tão diferente mesmo, que lhes sirva de recomendação do evangelho.[4]

Que mensagem atual e central para a vida da Igreja! Não há como superestimar a ênfase que o Novo Testamento dá à autenticidade, à beleza e à visibilidade da comunhão cristã como recomendações vivas e encarnadas da verdade revelada por Cristo. Isso é apologética. Defesa da eficácia da fé, que deve caminhar lado a lado com os argumentos racionais utilizados pelos cristãos a fim de levar pessoas a Cristo. Sem amor, não há argumento que convença.

A fim de que a Igreja dê esse exemplo de reconciliação entre os seres humanos, é indispensável, por motivos óbvios, que os cristãos se vejam, se toquem e se relacionem em amor. Disse Jesus: "Novo mandamento vos dou: que vos ameis uns aos outros; assim como eu vos amei, que também vos ameis uns aos outros. Nisto conhecerão todos que sois meus discípulos: se tiverdes amor uns aos outros" (Jo 13.34-25). Imagine, por exemplo, o impacto que causaria nas mais diferentes nações uma ideologia político-econômica que, ao ser implementada em determinado país, revelasse ser capaz de funcionar esplendidamente bem, a ponto de produzir riqueza sustentável e igualdade de oportunidades. Sabemos, contudo, que a falta de evidência histórica da eficácia de ideais revolucionários fez cair em descrédito o que prometiam livros de ideólogos famosos. Como denunciou George Orwell, na sua alegoria *A revolução dos bichos*, ao falar sobre os horrores do regime stalinista-marxista da antiga União Soviética:

> De certa maneira, era como se a granja tivesse ficado rica sem que nenhum animal tivesse enriquecido — exceto, é claro, os porcos e os cachorros. [...] A verdade é que nem os porcos nem os cachorros produziam um só grama de alimento com seu trabalho; e havia um bocado deles, com o apetite sempre em forma".[5]

Da mesma forma que cristãos apontam o dedo para programas políticos baseados em ideologias consideradas anticristãs e que não deram certo em vários países, não cristãos declaram que, muito embora os ideais do cristianismo sejam belos, os cristãos não os praticam.

A Igreja é chamada a apresentar ao mundo evidência histórica do poder do evangelho e exequibilidade dos seus ideais de vida em sociedade. Não dá para ser cristão e não participar desse ideal de Cristo. Não há cristianismo autêntico, saudável e bíblico sem igreja. Recusar-se a viver na comunhão do Corpo de Cristo é, na maioria das vezes, resultado de soberba associada a insubmissão.

Quem pode declarar que não cabe em nenhuma igreja por considerar ter uma vida tão acima da média da dos cristãos e haver alcançado compreensão teológica tão profunda e ampla? É evidente que, se temos muito o que aturar na vida dos irmãos, esses têm muito o que aturar na nossa, como nos lembra Tomás de Kempis:

> Procura sofrer, com paciência, os defeitos e quaisquer imperfeições alheias; pois que tu tens muito que te sofram os outros. Se não podes a ti mesmo fazer-te tal qual desejas, como desejas sujeitar os outros ao teu talante? Facilmente queremos que os outros sejam perfeitos e, nem por isso emendamos nossas falhas.[6]

Nada mais constrangedor para os supostos cristãos do "cristianismo sem igreja" do que saber que Cristo viveu em comunhão com a Igreja. Ele amou os seus confusos e inconstantes discípulos até o fim, sem jamais se apartar deles.

Sendo assim, precisamos de dois batismos: o que é feito com água pelo ministro cristão, como ritual de iniciação à vida cristã; e o que é feito pelo Espírito Santo, ao nos inserir no Corpo de Cristo, que nos conecta à verdadeira Igreja: "Pois, em um só Espírito, todos nós fomos batizados em um corpo, quer judeus, quer gregos, quer escravos, quer livres. E a todos nós foi dado beber de um só Espírito" (1Co 12.13). Como isso sempre significará participar de uma comunidade cristã tangível, concreta e real, é justamente a partir desse ponto que começam nossas venturas e desventuras.

Explico: o cristão ser batizado pelo Espírito Santo no Corpo de Cristo é uma das mais preciosas manifestações do amor divino na vida do convertido. É uma bênção que faz parte do pacote da salvação. Pense, por exemplo, na oportunidade de interlocução, de manter contato com quem podemos falar sobre o que mais amamos na vida. É fato que, por mais que amemos e tenhamos afinidade com amigos não cristãos, é muito frustrante não dividirmos com eles, com a esperança de ser compreendidos, algumas das nossas experiências mais íntimas.

O cristão sempre será um mistério para o não cristão. Ambos vivem em mundos significativamente diferentes. Essas diferenças não se restringem à ética e à agenda dominical, mas se relacionam à visão de mundo, ao estado de alma, ao espírito da mente, ao lugar que Cristo ocupa na vida. Como escreveu Martyn Lloyd-Jones: "Tornar-se cristão é a experiência mais profunda, o fato mais profundo de todo o universo. Não é nada menos que a diferença existente entre a morte e a vida, entre estar no túmulo e andar em liberdade e sem as amarras do mundo".[7]

Posso dizer que, a partir da minha incursão no ambiente protestante de uma igreja de classe média da cidade de Niterói, em 1982, passei a viver num mundo que tem me feito bem. Conheci pessoas belas, humanas e compassivas.

Minhas melhores amizades e as mais verdadeiras foram construídas na igreja. E não apenas isso: a minha ruptura com o que há de obscuro na cultura brasileira deu-se no âmbito de uma pequena comunidade cristã. O contato com os cristãos fez que eu me interessasse por teologia, filosofia, artes, política, história e outras áreas da vida humana. Renasci para tudo — para o céu e a terra. Passei a ansiar pelo saber que liberta. Seria injusto se negasse a minha dívida com o chamado mundo evangélico. Sou eternamente grato aos amigos e irmãos de igrejas protestantes.[8]

Há 36 anos, portanto, parte da minha vida se dá no ambiente das mais diferentes denominações evangélicas do Brasil e do exterior. Isso me fez, entretanto, conhecer o poder corruptor das instituições religiosas. No ambiente eclesiástico também testemunhei a injustiça, o obscurantismo, a hipocrisia e a loucura. Percebi que muita gente se torna pior depois de se envolver com religião. Como destaca C.S. Lewis, no seu livro bem-humorado e profundamente sábio *Cartas de um diabo ao seu aprendiz*, no qual traça o diálogo entre dois demônios cujo objetivo é arruinar a causa do cristianismo:

> Por um longo período será bem difícil retirar a espiritualidade de sua vida. Muito bem, então temos de corrompê-la [...]. O mundo e a carne nos falharam, mas resta uma terceira força. E o êxito deste terceiro tipo é o mais glorioso de todos. Um santo estragado, um fariseu, um inquisidor ou um mágico propiciam mais diversão no inferno do que um simples tirano ou libertino.[9]

Percebi, nesses anos, a sutileza dos pecados do altar, as tentações que são próprias dos ambientes das instituições religiosas, por mais informais que elas sejam. Há iniquidades que dizem respeito exclusivamente ao mundo da religião. Há deformidades de caráter que são peculiares à vida que é vivida em ambientes eclesiásticos. O mundo das instituições religiosas pode nos deformar, fazer adoecer e tornar-nos inimigos de Cristo. Como bem escreveu Martyn Lloyd-Jones:

> Seria ir longe demais dizer que é sempre mais difícil converter uma pessoa boa do que uma pessoa má? Penso que a história da Igreja prova isso. Os maiores opositores da religião evangélica sempre têm sido gente boa e religiosa. Alguns dos mais cruéis perseguidores de que fala a história da Igreja pertenciam a essa classe.[10]

Há milhões de pessoas, portanto, que não conseguem dissociar sua vida da vida da Igreja. Isso significará manter-se constantemente em contato com gente imperfeita, cristãos imaturos, membros de igrejas que não se converterão nunca e estruturas eclesiásticas que, devido ao apego acrítico à cultura do passado e do presente, estão acima de toda e qualquer possibilidade de reforma.

Precisamos, portanto, responder uma questão: como não permitir que esse ambiente nos destrua? E mais: como nos precavermos da possibilidade de a cultura religiosa deformar de tal maneira o nosso caráter a ponto de nos tornarmos empecilho para aqueles que, em razão da sua e da minha forma de viver, não se imaginam dentro de uma igreja local? Podemos sofrer nas mãos de fariseus. Pior: podemos ser, nós mesmos, os fariseus.

Cristo veio ao mundo para nos salvar da religião. Isso ficou claro para mim nos últimos anos, quando, domingo após domingo, subi ao púlpito da minha igreja para fazer a exposição dos evangelhos de Marcos e João. Tenho percebido que alguns dos domingos nos quais mais me encantei pela beleza do caráter e da mensagem de Cristo foram aqueles nos quais preguei sobre os textos que o revelam em conflito com as lideranças das instituições religiosas.

Impressiona a quantidade de passagens bíblicas que mostram Cristo confrontando gente profundamente envolvida com o ambiente do templo e da sinagoga. Nessas horas, emerge um Cristo que parece odiar religião. Um Cristo que revela que o espírito do mundo atravessa as quatros paredes da igreja e faz que pessoas se percam eternamente sem ao menos suspeitar que estejam perdidas.

Meu propósito com este livro é analisar nas Escrituras as controvérsias de Cristo com as lideranças das instituições religiosas. Estou certo de que o Cristo que emergirá desses debates o impedirá de confundir Deus com religião. Qual é a importância de conhecermos o Cristo que, por confrontar a religião do seu tempo, teve sua morte planejada por homens que traziam nas mãos as Escrituras? Não há como superestimar o valor dessa descoberta. Como avaliar a importância de algo que nos permitirá separar o Deus da revelação divina do deus da projeção humana? Quem não sabe separar Deus de religião está fadado a perder o encanto pelo próprio Deus. A realidade é que pastores e padres podem tornar Deus parecido com o diabo, dependendo de como agem, ensinam e pregam.

Grande parte da crise da modernidade com o cristianismo deveu-se tanto à falta de alegria quanto ao obscurantismo moral e intelectual dos que se diziam porta-vozes da mensagem do evangelho. Quando os observo, em suas tentativas de desconstruir o cristianismo, sou levado a dizer: o deus a quem eles odeiam não é aquele que Cristo me revelou e me fez amar. Em Cristo, como a comida e sinto o sabor. Canto porque recobrei o sentido de viver. Faço ciência porque o universo foi feito por um ser pessoal, que criou correspondência entre a mente humana e a ordem natural. Abro-me para o conhecimento que me faz rever minha interpretação da Bíblia, em razão de saber que toda verdade é verdade de Deus e que seu nome é glorificado quando busco com integridade intelectual harmonizar os fatos dos dois livros que o Criador escreveu: as Escrituras Sagradas e a natureza. Como escreveu o teólogo americano calvinista Charles Hodge:

> A relação, pois, entre a filosofia e a revelação, como determinada pelas próprias Escrituras, é o que toda pessoa sensata deve aprovar. Tudo é concedido à filosofia e à ciência, o que elas legitimamente exigirem. Admite-se que elas têm uma ampla e importante esfera de investigação. Admite-se que dentro dessa esfera elas têm direito a maior deferência. Concede-se efusivamente que elas têm realizado muito, não só como meio de disciplina mental, mas em expandir a esfera do conhecimento humano e promover o refinamento e a felicidade dos homens. Admite-se que os teólogos não são infalíveis na interpretação das Escrituras. É possível, pois, que aconteça no futuro, como tem sucedido no passado, que as interpretações da Bíblia, há muito confiantemente aceitas, sejam modificadas ou abandonadas para trazer a revelação em harmonia com o que Deus ensina em suas obras.[11]

O mais importante de tudo é ver o evangelho, com todo seu brilho e poder libertador, ser revelado nas crises de Cristo com a religião do seu tempo. Buscar aproximar-se de Deus sem a mediação do evangelho é expor-se a se tornar escravo da Lei, dos costumes socialmente construídos, dos falsos profetas, do mundo espiritual do mal.

Cristo e o seu evangelho nos salvam da irreligião e da religião. Há esperança para os que estão do lado de fora. Há esperança para os que estão do lado de dentro. É para esses que desejo falar, com a esperança de despertar naqueles o interesse pelo Cristo cuja beleza excede o que a igreja é capaz de demonstrar ao mundo.

CAPÍTULO 1

Cristo e o moralismo religioso do seu tempo

Jesus, entretanto, foi para o monte das Oliveiras. De madrugada, voltou novamente para o templo, e todo o povo ia ter com ele; e, assentado, os ensinava. Os escribas e fariseus trouxeram à sua presença uma mulher surpreendida em adultério e, fazendo-a ficar de pé no meio de todos, disseram a Jesus:

Mestre, esta mulher foi apanhada em flagrante adultério. E na lei nos mandou Moisés que tais mulheres sejam apedrejadas; tu, pois, que dizes?

Isto diziam eles tentando-o, para terem de que o acusar. Mas Jesus, inclinando-se, escrevia na terra com o dedo. Como insistissem na pergunta, Jesus se levantou e lhes disse: Aquele que dentre vós estiver sem pecado seja o primeiro que lhe atire pedra. E, tornando a inclinar-se, continuou a escrever no chão.

Mas, ouvindo eles esta resposta e acusados pela própria consciência, foram-se retirando um por um, a começar pelos mais velhos até aos últimos, ficando só Jesus e a mulher no meio onde estava. Erguendo-se Jesus e não vendo a ninguém mais além da mulher, perguntou-lhe: Mulher, onde estão aqueles teus acusadores? Ninguém te condenou?

Respondeu ela: Ninguém, Senhor!

Então, lhe disse Jesus: Nem eu tampouco te condeno; vai e não peques mais.

JOÃO 8.1-11

NINGUÉM SE ENVOLVE impunemente com a instituição religiosa. É real a possibilidade de sermos moídos pela máquina eclesiástica. Sendo assim, Cristo é visto nas Escrituras ensinando as pessoas a como se proteger de homens como padres, pastores, bispos e teólogos.

É necessária tal preocupação? Para responder, basta pensar no poder de homens que se apresentam como porta-vozes da divindade, capazes de interpretar com exatidão as Escrituras e aplicá-las infalivelmente, e aptos a ter acesso à consciência de homens e mulheres, que os veem como mediadores entre Deus e os seres humanos. Esses religiosos transformam indivíduos comuns em homens bomba, plenos de ódio, saqueiam os bens dos sobrecarregados de culpa e põem ao seu serviço os que pensam que servir-lhes significa servir a Deus. A história das instituições religiosas representativas das mais diversas religiões está repleta da tirania exercida pelos clérigos.

O relato sobre a mulher flagrada em adultério que foi salva do tribunal eclesiástico por Cristo é a narrativa bíblica que melhor revela o espírito do evangelho, e como esse mesmo evangelho pode nos salvar dos recursos de morte que se encontram nas mãos dos detentores e administradores do poder espiritual.

Após descer do monte das Oliveiras, Cristo é encontrado no templo, ensinando. Que jamais nos esqueçamos do fato de que o Senhor Jesus, movido por sua compaixão pelos seres humanos, é frequentemente visto nas narrativas bíblicas ensinando a verdade. Cristo a comunica aos homens porque parte dos problemas que enfrentamos na vida advém da falta de entendimento espiritual. Precisamos desesperadamente da verdade não mediada pelos interesses pecaminosos de pensadores, ideólogos e pregadores.

CRISTO E O MORALISMO RELIGIOSO DO SEU TEMPO | **31**

Carecemos de luz, a fim de sabermos quem somos, de onde viemos e para onde vamos. Saber quem é Deus, aprender a não o confundir com o diabo e conhecer o que ele espera de nós é essencial para que não nos relacionemos com um simulacro da divindade — que, além de não encantar, apavora. A imagem desse simulacro é explorada por aqueles que precisam de uma divindade caprichosa, inconstante e incerta, a fim de manipular consciências, produzir temores infundados e sujeitar ao seu capricho vidas humanas.

Em mais de uma ocasião, ouvi pessoas testemunharem algo que me parece comum em muitas denominações evangélicas do país. Pessoas contam que foram amaldiçoadas por seus pastores ao tomar a decisão de sair de determinada igreja em razão da teologia rasa, das tolices que são proferidas do púlpito, dos desatinos da liderança ou da falta de transparência financeira. Tais líderes vaticinam que as mesmas não se ajustarão em nenhuma igreja, uma vez que, para eles, o reino de Cristo está circunscrito ao seu império eclesiástico. Julgam esses religiosos que ninguém no país consegue enxergar no mundo espiritual o que eles enxergam.

Há quem acredite nessa maldição e sofra. É claro que essa tirania somente encontra espaço em ambientes nos quais grassa a falta de conhecimento bíblico elementar. O reformador Martinho Lutero, portanto, fez bem ao queimar publicamente a bula papal *Exsurge Domine*, que tanto o condenava quanto o chamava de "javali selvagem que invadira a vinha do Senhor":

"Agora, portanto, concedemos a Martinho o prazo de sessenta dias para se submeter, a contar da data da publicação desta bula em seu distrito. Qualquer um que ouse desrespeitar nossa excomunhão e anátema enfrentará a ira do Deus todo-poderoso e dos apóstolos Paulo e Pedro". Resposta de Lutero: "Para mim, a sorte está lançada. Desprezo igualmente tanto a fúria romana quanto o favor romano. Não me reconciliarei nem me comunicarei com eles. Eles amaldiçoam e queimam meus livros. Queimarei publicamente toda a legislação canônica, a menos que eu não consiga arranjar uma fogueira".[1]

Da mesma forma que carecemos, como cidadãos, de um Estado soberano e do conhecimento das garantias constitucionais a fim de lutarmos e defendermos nossos direitos e os de todos, necessitamos conhecer as Escrituras a fim de saber o que jamais uma igreja deve exigir de nós. Deveria ser meta de cada ministro do evangelho habilitar os membros da sua igreja a avaliar — por meio de amplo conhecimento bíblico e uso da razão — o conteúdo da pregação. O analfabetismo teológico é amplamente usado pelos falsos profetas a fim de que pessoas se convertam a eles em vez de se converterem a Deus.

Alister McGrath, no seu livro *A revolução protestante*, revela como a difusão de novas forças sociais e intelectuais ajudaram a desestabilizar as fundações do despotismo religioso exercido pela igreja durante o período da Idade Média:

> Por volta do final do século 15, para muitos, a posição da igreja na sociedade ocidental parecia uma estrutura permanente em um mundo estável. Contudo, todo esse modo de ver o mundo estava para sofrer uma mudança radical. Novas forças sociais e intelectuais começaram a desestabilizar suas fundações e a oferecer alternativas. Aumentou a pressão por reforma. Em parte, isso refletia o abuso e a corrupção na igreja, em parte, refletia também uma confiança cada vez maior por parte do clero — e de modo crescente, dos leigos —, de

CRISTO E O MORALISMO RELIGIOSO DO SEU TEMPO | **33**

expressar suas queixas e ser ouvido. Não é difícil enumerar os muitos abusos e corrupções que nublavam a história da igreja no final do período medieval. Havia muito a criticar, do papa ao membro mais humilde do clero. O papado renascentista foi muito criticado por seus excessos financeiros e preocupação com posição social e poder político. O papa Alexandre VI [...] conseguiu comprar sua vitória para o papado em 1492, a despeito de ser fato conhecido de todos que ele tinha diversas amantes e, pelo menos, sete filhos ilegítimos. Nicolau Maquiavel, grande teorista do poder absoluto, atribui a imoralidade de sua época ao escandaloso exemplo do papado.[2]

A busca por visibilidade

O relato do evangelista João prossegue, deixando claro que, assim que Cristo começou a ensinar o povo no templo, pessoas se aglomeraram ao seu redor a fim de ouvi-lo. Só quem convive com a liderança eclesiástica tem ideia da fome e da sede de visibilidade que não poucos pregadores têm. Ser tido como grande expositor das Escrituras, eloquente, culto e articulado é a meta de muitos. Contaram-me de um pastor que pediu aos membros da sua igreja que o chamassem de "doutor reverendo" após um curso que havia feito.

Alguns investem pesado em *marketing* pessoal. Há quem pague para pregar em congresso, como há pouco tempo me confessou um pastor de uma imensa denominação evangélica do Brasil. Outros abrem mão de toda autenticidade, ideias próprias e convicções pessoais, a fim de corresponder às expectativas dos que comandam instituições cujas conferências, redes de relacionamento e publicações mantêm sua visibilidade. Essa é uma das tentações da religião.

Não é raro alguém se aproximar da igreja e ser contaminado pela ânsia de poder, num mundo no qual as ascensões nos âmbitos político-eclesiástico e social podem ser rápidas — por dispensar até mesmo preparo formal para ocupar o púlpito de uma igreja e assumir os mais altos postos da denominação.

A experiência de Cristo nos ensina que ninguém deveria desejar ser um grande pregador ou teólogo, mas, sim, almejar ser um grande amante de Deus e dos homens. Quando amamos, vemos nas Escrituras o que só pode ser enxergado por aquele cuja alma guarda afinidade com o espírito do evangelho. Quando amamos, pregamos com originalidade. Quando amamos, pregamos deixando claro que nos interessamos pelas pessoas. Quando amamos, somos preservados dos atos falhos da vaidade. Quando amamos, pregamos com os olhos úmidos. Quando amamos, o que há de irreprimível no ser vaza, a verdade flui e os homens passam a se interessar pelo que temos a dizer. Jesus pregava com amor.

Não peça a Deus eloquência, púlpito, seguidores nas redes sociais, convites para palestrar em congressos teológicos. Peça perturbação pelo estado da humanidade, compaixão pelo que sofre, encanto pela graça, perplexidade face à obra de Cristo na cruz e percepção do caráter incerto e transitório da sua vida.

Nada mais triste que ver um jovem tornar-se membro de igreja, familiarizar-se com política eclesiástica, ambicionar postos na estrutura denominacional e deixar de ser o irmão mais novo da parábola do filho pródigo, transformando-se em um respeitável fariseu. O púlpito é um lugar

CRISTO E O MORALISMO RELIGIOSO DO SEU TEMPO | **35**

perigoso para os filhos de Adão. Como escreveu Charles Spurgeon em *Lições aos meus alunos*:

> Se quero pregar o evangelho, só posso usar a própria voz; daí, devo aprimorar as minhas virtudes vocais. Só posso pensar com o meu cérebro, e sentir com o meu coração; portanto, devo educar as minhas faculdades intelectuais e emocionais. Só posso chorar e agonizar pelas almas com a minha própria natureza renovada; portanto, devo manter vigilantemente a ternura que havia em Cristo. Ser-me-á vão suprir minha biblioteca, ou organizar sociedades, ou fazer planos, se eu negligenciar o cultivo de mim mesmo; pois livros, agências e sistemas só remotamente são instrumentos da minha santa vocação [...]. Quando o pregador é pobre de graça, qualquer benefício permanente que poderia resultar do seu ministério em geral será fraco e completamente desproporcional ao que se poderia esperar.[3]

Psicopatologias da cultura religiosa

Os escribas, responsáveis pela interpretação do Antigo Testamento e pela produção teológica, e os fariseus, membros da seita mais rigorosa do judaísmo, levaram à presença de Cristo uma mulher que fora para a cama com um homem que não era seu marido. Muito embora encontremos nas páginas do Antigo e do Novo Testamento uma ética sexual — o que não poderia deixar de ser, uma vez que o amor tem algo a dizer sobre área tão importante dos relacionamentos humanos —, não deixa de impressionar como o tema do sexo ocupa quase que exclusivamente o campo mental dos membros de muitas igrejas.

Há uma moral reducionista, presente nas mais diferentes culturas religiosas, que restringe suas preocupações a tabaco, álcool e sexo. Todo o conteúdo da ética, portanto, acaba sendo reduzido nesses ambientes àquilo que qualquer homem não regenerado é capaz de praticar. Declara Peter L. Berger, numa passagem que pode ser aplicada à cultura religiosa do Brasil:

> O fundamentalismo protestante, conquanto obcecado pela ideia de pecado, tem um conceito curiosamente limitado da sua extensão. Os pregadores revivalistas que vociferam contra a perversidade do mundo atêm-se invariavelmente a uma gama um tanto limitada de transgressões morais — fornicação, embriaguez, dança, jogo, pragas. Na verdade, dão tanta ênfase à primeira dessas transgressões que, na linguagem comum do moralismo protestante, o termo "pecado" é quase sinônimo do termo mais específico "ofensa sexual". Diga-se o que se disser a respeito desse rol de atos perniciosos, todos eles têm em comum seu caráter essencialmente privado. Na verdade, se um pregador revivalista chega a mencionar questões públicas, será geralmente em termos da corrupção privada dos detentores dos cargos públicos.[4]

Não há a mínima dúvida de que igrejas podem criar ambientes psicopatológicos,[5] com uma cultura e uma forma de administrar os conflitos morais dos seres humanos capazes de levar homens e mulheres à neurose crônica. Quanta energia gasta com a culpa que jamais é expiada! Quanta tentativa de transformar homem em anjo! Quanta obsessão com um aspecto da ética em detrimento daquilo sobre o que as Escrituras falam muito mais extensamente, como as condições de vida dos despossuídos, a promoção da justiça social, a defesa do direito e o amparo ao que carece de solidariedade!

Com as Escrituras abertas, todos os membros das mais diferentes igrejas deveriam fazer continuamente duas perguntas: "O modelo de espiritualidade de minha igreja fomenta a

CRISTO E O MORALISMO RELIGIOSO DO SEU TEMPO | **37**

real santidade de vida?" e "O modelo de espiritualidade de minha igreja colabora para a disseminação de um comportamento neurótico?". Vale a pena ouvir o que Freud tem a dizer sobre culturas que carecem do divã:

> Se o desenvolvimento da civilização possuiu uma semelhança de tão grande alcance com o desenvolvimento do indivíduo, e se emprega os mesmos métodos, não temos nós justificativa em diagnosticar que, sob a influência de premências culturais, algumas civilizações, ou algumas épocas da civilização — possivelmente a totalidade da humanidade — se tornaram neuróticas? [...] Eu não diria que uma tentativa desse tipo, de transportar a psicanálise para a comunidade cultural, seja absurda ou que esteja fadada a ser infrutífera... podemos esperar que, um dia, alguém se aventure a se empenhar na elaboração de uma patologia das comunidades culturais.[6]

Tenho profundo respeito pela psicanálise, embora não a veja como panaceia para as dores da alma. Pode ser que Freud tenha ido longe demais na proposta de usar a psicanálise para fazer análise objetiva de culturas fomentadoras de psicopatologias. Mas não tenho dúvida de que seu ponto de vista sobre a dimensão cultural das neuroses é fato irrefutável e que instituições religiosas deveriam se submeter a essa análise, a fim de refletir sobre a dor que infligem ao espírito humano por força de ideais irrealizáveis e desconectados da realidade. Contudo, é uma tarefa espinhosa e que requer imensa sabedoria, sensibilidade e diálogo com as ciências que lidam com o tema da psicopatologia.

Como ninguém adultera sozinho, fica a pergunta sobre o paradeiro do homem com quem aquela mulher havia se deitado. Nada sabemos dele. Pode ser que tenha conseguido escapar. Mas não é improvável que a cultura machista tenha prevalecido naquele dia no que se refere a tolerar no homem muitas coisas que se tornaram intoleráveis na vida de uma mulher.

É fato que cristãos podem ser traídos por uma aplicação enviesada do princípio da submissão da mulher ao marido, encontrado em algumas passagens bíblicas. Essa aplicação enviesada acabaria levando as mulheres ao papel de simples coadjuvantes da vida da igreja e as faria ser oprimidas dentro de casa pelos maridos — além de, por conta da cultura mais ampla, serem exploradas no mercado de trabalho pelos seus chefes.

Uma coisa é certa: o entendimento de que a misericórdia é traço característico e inevitável da verdadeira experiência de conversão deveria conduzir os cristãos a tornar a compaixão pelos socialmente mais vulneráveis parte da pauta missionária-cultural de toda igreja.

Nesse sentido, a luta de milhões de mulheres do mundo inteiro por direitos historicamente ignorados deveria encontrar eco no coração dos cristãos. Igreja é lugar onde os membros do sexo feminino precisam poder respirar. Para o teólogo britânico John Stott, os cristãos não podem ignorar essa causa:

> O feminismo em todas as suas formas — seja não cristã, cristã ou pós-cristã — apresenta à igreja um desafio urgente. Feminismo não pode ser dispensado como uma onda secular que igrejas da moda (no seu mundanismo) pulam para dentro. Feminismo é sobre criação e redenção, amor e justiça, humanidade e ministério.[7]

Moralismo sem alma

Na passagem da mulher adúltera, testemunhamos a religião dedicada ao trabalho de deixar pessoas nuas em praça pública, expondo impiedosamente seus erros, deixando, assim, de seguir o princípio de que pecados não tornados públicos devem ser tratados de modo privado. Parte da missão da Igreja é dar visibilidade às pessoas, a fim de que se tornem objeto do amor. Aqui, contudo, a visibilidade é concedida para produzir vergonha, humilhação e condenação.

Os religiosos fazem aquela mulher ficar de pé no meio de todos. São incontáveis os casos de pessoas que tiveram a vida, o casamento e a reputação destruídos pelo ato de a igreja coagir pessoas a tornarem públicos os seus erros particulares. Isso não é coisa de cristão.

A intenção e o conteúdo do que os escribas e fariseus disseram a Cristo são profundamente reveladores de quanto as instituições religiosas podem usar a Bíblia para destruir vidas. Estão por trás da pregação que fere, adoece e mata: a péssima exegese, a leitura culturalmente condicionada das Escrituras, a utilização de versículos fora do seu contexto, o desconhecimento do espírito do evangelho e a falta de compaixão.

Quando chegamos a esse ponto, avulta a importância de sabermos nos proteger das instituições religiosas. Vivemos num mundo impressionantemente obscuro, no qual a humanidade cria um inferno para si mesma. Somos capazes de formar ambientes dentro dos quais não conseguimos viver.

Pense na ética do trabalho, por exemplo. Relações trabalhistas que fazem homens e mulheres trabalhar, mas viver sem razão. Explorados, mal remunerados, dedicados a tarefas desgastantes, envolvidos com longas jornadas de atividade repetitiva e enfadonha, exercendo sua vida profissional em ambientes insalubres. Homens e mulheres envelhecendo antes do tempo por força do lucro posto acima da santidade da vida humana. Como escreveu o sociólogo americano Richard Sennett:

> "Quem precisa de mim?" é uma questão de caráter que sofre um desafio radical no capitalismo moderno. O sistema irradia indiferença. Faz isso em termos dos resultados do esforço humano, como nos mercados em que o vencedor leva tudo, onde há pouca relação entre risco e recompensa. Irradia indiferença na organização da falta de confiança, onde não há motivo para se ser necessário. E também na reengenharia das instituições, em que pessoas são tratadas como descartáveis.[8]

Parte do sofrimento humano tem relação direta com o que fazemos uns com os outros. Esse espírito, que sufoca, adoece e mata, pode penetrar nas instituições religiosas. É o inferno com cheiro de vela, som de órgão, discursos grandiloquentes, colarinho clerical, tratados de teologia empoeirados.

Os escribas e fariseus usaram os livros de Levítico e Deuteronômio para destruir a vida de uma mulher. Observe que ela não é mencionada pelo nome. Não é Maria, Isabel ou Joana, portadora da imagem e semelhança de Deus; é, simplesmente, "a adúltera". Sempre que a igreja perde de vista a singularidade da vida humana, chamando pessoas pelo nome do pecado que praticaram, e, assim, ignorando sua identidade de ser amado por Deus, expõe-se a funcionar mais como sistema prisional que pune do que como lar que acolhe.

Isso não é conversa piegas e sentimentalista. Vidas esmagadas pelo moralismo religioso testemunham sobre a necessidade de combatermos o mal tão presente no mundo das organizações eclesiásticas. É certo que muita confissão deixa de ser feita, muito tropeço moral é temido e muita

CRISTO E O MORALISMO RELIGIOSO DO SEU TEMPO | **41**

tentação deixa de ser compartilhada porque não poucos sabem que, se forem flagrados no erro, confessarem seus equívocos e expressarem seus conflitos morais, serão traídos e expostos e não lhes restará fio de cabelo.

Não estamos lidando, nessa passagem, apenas com o mau uso da Bíblia. Percebe-se que ela foi pessimamente aplicada na vida da chamada "mulher adúltera" porque não havia sido aplicada corretamente na vida dos que dela se utilizavam. Usar corretamente as Escrituras Sagradas requer tanto cérebro quanto alma, tanto conhecer regras de interpretação quanto conhecer o próprio coração, tanto conhecer o próximo quanto conhecer a si mesmo, tanto conhecer a Palavra quanto conhecer o espírito da Palavra.

O modo como os escribas e os fariseus lidaram com a questão revela a completa desconexão entre sua atitude e o estado do próprio coração. O problema não está em tratar dos deslizes morais de alguém. É possível que pessoas tropecem. Admoestá-las é amor. Discipliná-las é forma de preservação da identidade e da saúde espiritual da igreja. O problema está na forma, no espírito, na intenção.

Esse ponto é fundamental para que a cultura religiosa não se volte contra nós, tornando-nos, desse modo, intratáveis. Aqui, conhecer o evangelho é central. Existe o que poderíamos chamar de modo cristão de lidar com as falhas humanas; a questão é entender o que o regula.

A pregação do evangelho humilha. Não há boa nova sem má nova. A dura verdade que o evangelho tem a nos apresentar é que precisamos de salvação. O desesperador é que os motivos são justos e racionais. O evangelho revela a santidade de Deus. O Criador é absolutamente separado do mal moral. Isso significa que ele é amor. Tudo o que ele faz se mantém em harmonia com o seu caráter. Deus é apresentado nas Escrituras como incapaz de fazer certas coisas; ele não pode agir contra a sua natureza, tampouco negar a si mesmo ou deixar de ser santo. O teólogo americano Charles Hodge declara:

> É verdade que Deus não pode sujeitar-se a nenhuma lei fora dele mesmo. Ele é *ex lex*. Ele é a lei para si mesmo. A conformidade de sua vontade à razão não é sujeição. É apenas harmonia de sua natureza. Ser santo no caso de Deus não implica nada mais que ele não entrar em conflito consigo mesmo.[9]

A santidade de Deus é o fundamento, ao mesmo tempo, de nossos valores morais, nosso culto e nossa esperança. Estamos eternamente nas mãos de um ser absolutamente confiável e digno de ser adorado.

Como corolário da verdade supramencionada, Deus, ao criar o homem à sua imagem e semelhança, ordenou que todos os membros da nossa espécie vivessem a vida que o próprio Criador vive, uma vida de amor. Somos chamados, portanto, a amar o próximo com o amor que temos por nós mesmos e amar aquele que sustenta o nosso batimento cardíaco. Pecar é não amar.

Quando o evangelho nos apresenta e leva a crer em algo tão límpido, autoevidente e santo, somos tomados por convicção de pecado. O evangelho não busca eliminar a culpa por meio da negação do seu fundamento metafísico. Seu caminho é o da afirmação da culpa real, seguida da superação do sentimento de culpa, por meio do tratamento que a culpa real recebeu no sacrifício real de Cristo — que, por sua vez, deve despertar a fé que nos faz confiar mais na misericórdia de Deus, revelada na cruz, do que na nossa inocência.

Esse é o ponto em que a pregação nos humilha e nos introduz na primeira bem-aventurança: "Bem-aventurados

CRISTO E O MORALISMO RELIGIOSO DO SEU TEMPO | **43**

os humildes de espírito, por que deles é o reino dos céus" (Mt 5.3). O humilde de espírito é aquele que viu os seus pecados à luz da santidade de Deus e, também, a beleza da revelação do caráter divino na sua santa lei.

Trata-se de alguém constrangido diante do fato de, ao analisar sua vida pregressa, perceber que em não poucas ocasiões cobrou das pessoas o que ele mesmo não praticou. Queremos ser honrados. Detestamos ser ignorados. Esperamos solidariedade no nosso sofrimento. Contudo, desonramos pessoas, ignoramos sua vida e banalizamos sua dor. O pecado é uma doutrina empiricamente comprovável.[10] As duas Guerras Mundiais o provam.

Isso tudo gera lágrimas. Essa é a razão da segunda bem-aventurança ser a lágrima do arrependimento: "Bem-aventurados os que choram, porque serão consolados" (Mt 5.4). A humilhação evangélica causa o quebrantamento evangélico, que não envia necessariamente pessoas aos sanatórios psiquiátricos, mas cura, reconcilia com Deus e nos faz ser bênção para o planeta, ao nos demover do nosso autocentrismo.

O choro provocado pela aplicação do evangelho pelo Espírito Santo em nosso coração é causado pela dor da contrição. A tristeza que acompanha essa experiência não é provocada pela percepção de que a prática pecaminosa destruiu a saúde, a profissão, o casamento ou a reputação. Acima de tudo, o arrependimento produzido pela pregação do evangelho resulta da percepção de que pecamos contra quem mais nos ama. Poucos entenderam essa verdade quanto Agostinho:

> Mas que ações pecaminosas podem atingir-te, ó Deus, se és incorruptível? Que delitos te ofendem se é impossível fazer-te mal? Castigas as culpas que os homens cometem contra si

mesmos, porque, mesmo quando pecam contra ti, fazem mal à própria alma [...]. Voltai aos vossos corações, pecadores, e ligai-vos àquele que vos criou. Firmai-vos nele e sereis estáveis. Repousai nele e tereis paz. Por que ir à procura de sofrimento? Aonde quereis ir? O bem que amais procede dele, mas só é bom e suave quando para ele é dirigido. Torna-se justamente amargo, porque, se abandonamos a Deus, torna-se injusto amar aquilo que dele deriva.[11]

Pela graça divina, contudo, a lágrima da contrição é sempre enxugada pelo evangelho do perdão. Ao chorar, o pecador arrependido recebe o abraço do Deus que, embora resista ao orgulhoso, ao humilde concede a sua graça. Essa pessoa, portanto, foi do inferno ao céu. Desesperou-se por temer ser privada, por motivos justos, da comunhão com o Criador santo. Alegrou-se por ter recobrado, por motivos justos, a esperança de ter sua comunhão restaurada com a sua "divina delícia"[12] — uma vez que Cristo cobriu todos os seus débitos ao morrer na cruz. Conheceu àquele que é justo sem ser justiceiro.

Agora, o pecador redimido se põe de pé novamente. Não vive mais a olhar para baixo, nem para trás. Olha para o alto, e contempla a face amorosa daquele que a ele se revelou como Pai de misericórdia e Deus de toda consolação. Surge aqui uma questão central: como essa mesma pessoa haverá de viver e se relacionar com o próximo?

O cristianismo ensina que a experiência inicial de conversão real, marcada por humilhação e lágrimas, regula por completo e para sempre a vida do convertido. Por isso, a terceira bem-aventurança é a mansidão. "Bem-aventurados os mansos, porque herdarão a terra" (Mt 5.5). O nascido de novo, portanto, é gentil, humilde, atencioso e cortês.[13] Ele revela uma atitude humilde e gentil com os

CRISTO E O MORALISMO RELIGIOSO DO SEU TEMPO | **45**

outros, determinada por uma estimativa correta de si mesmo. Martyn Lloyd-Jones ressalta:

> A mansidão é, essencialmente, um autêntico ponto de vista que o indivíduo forma de si mesmo, o que é então expresso como uma atitude e uma conduta em relação ao próximo [...] trata-se de minha atitude para comigo mesmo; mas também é uma expressão desse fato, em meu relacionamento com outras pessoas.[14]

Por isso, esse indivíduo não faz valer o seu direito caso sofrer seja a condição da preservação de um relacionamento; não se vangloria, não vive na defensiva, cuidando de si mesmo. Recebe ofensas com doçura. Manifesta atitude suave e paciente. Tem ideias firmes e está disposto a morrer por elas. O modo como as defende, contudo, revela que não apenas conheceu a verdade, mas também a si mesmo.

O que abraçou a cruz em busca de perdão e ouviu Cristo lhe dizer "está consumado" não consegue tratar ninguém de modo oposto do que foi tratado por Deus. Esse é o ponto! Isso faltava na vida daqueles escribas e fariseus. Eles jamais teriam tratado de modo tão desumano aquela mulher se um dia tivessem passado por uma autêntica experiência de arrependimento, seguida por uma autêntica experiência de perdão recebido.

O púlpito ser ocupado por quem não é humilde de espírito, quebrantado de coração e doce de alma é maldição para a vida da igreja. Nada pior que um ministério não convertido. Se ele não se vir como pecador falando para pecador, sob o olhar de um Deus misericordioso, à luz do evangelho, sua Bíblia será usada para ferir. Os psicoterapeutas deveriam dividir o seu salário com pregadores que involuntariamente enviam para os consultórios gente adoentada pelas suas mensagens.

Religião e a morte de Deus

As instituições religiosas podem estar dedicadas à tarefa inconsciente de matar Deus. A história do mundo ocidental revela essa realidade: de um lado, a ortodoxia morta, incapaz de dialogar com a cultura, indiferente às grandes injustiças sociais, intelectualmente estéril, irrelevante, num contexto de cultos sem transcendência; de outro lado, o liberalismo teológico, com sua subserviência à modernidade, domesticado pela filosofia, transformando teologia em ciência da religião, mutilando a Bíblia, condenando a injustiça social sem proclamar a necessidade de justificação pessoal, esvaziando igrejas, tornando os templos mais bem localizados em algumas das cidades mais importantes do mundo em locais de entretenimento e não de encontro com Deus por meio da proclamação da verdade.

Por que os escribas e fariseus indagaram a Cristo: "tu, pois, que dizes?"? O versículo subsequente esclarece: "Isto diziam eles tentando-o, para terem de que o acusar". Descobrimos que destruir a vida da mulher não era fim, mas meio, uma vez que a intenção dos religiosos era matar Cristo. Como declara o comentarista bíblico holandês William Hendriksen:

> Seu propósito era evidentemente este: fazer que Jesus desse uma resposta que implicasse violação da Lei de Moisés; logo, apresentar isso como acusação oficial contra ele; logo, baseados nessa acusação, fazê-lo ser condenado pelo Sinédrio em uma sessão oficial; e, finalmente, ao taxá-lo de transgressor, destruir sua influência entre o povo [...]. Não é seguro

CRISTO E O MORALISMO RELIGIOSO DO SEU TEMPO | **47**

declarar que os escribas e fariseus de fato quisessem que se apedrejasse a mulher. Não estavam primordialmente interessados nela; simplesmente usavam seu caso para chegar até Jesus, que era a vítima que realmente perseguiam.[15]

Aqueles homens não suportavam Cristo. Primeiro, porque odiavam a pregação tida como megalômana.[16] Realmente, a mensagem de Cristo só faz sentido se ele for o que disse ser. Na boca de qualquer mortal, é megalomania patológica. Mas a culpa de não ver excelência em Cristo, a ponto de acreditar na sua pregação, é de quem era espiritualmente cego.

Segundo, Cristo os criticava manhã, tarde e noite, dizendo que eles não apenas não entravam no reino dos céus, como também eram o principal obstáculo para outras pessoas entrarem. Cristo sempre revelou horror pelo estado das instituições religiosas do seu tempo.[17]

Terceiro, pode-se observar muita inveja associada a preconceito. Eles se ressentiam de que aquele nortista de Nazaré atraía a atenção de tanta gente. As pessoas diziam "ninguém jamais falou como esse homem" e "ele prega com autoridade", pois ficavam patentes a originalidade e o frescor de sua mensagem, não encontradas na pregação dos rabinos nas sinagogas e no templo.[18]

Jesus estava sendo posto à prova. O objetivo era extrair dos seus lábios o que o incriminaria. Eles estavam fazendo o que muitos fazem, hoje, ao utilizar as redes sociais: tentar arrancar declarações que provam que as pessoas de quem eles divergem em questões secundárias não são ortodoxas. Muitas vezes, usando não as Escrituras, mas teorias econômicas e ideologias políticas como testes da ortodoxia.

Se o plano desse certo, eles espalhariam por Jerusalém e todo Israel que Jesus era falso profeta. Caso Cristo concordasse com a sessão de apedrejamento, eles o chamariam de esquizofrênico e não tão amigo do povo como muitos imaginavam. A figura do profeta do amor seria desfeita. O trunfo maior, entretanto, seria botá-lo em oposição a Moisés. Eles apostavam nisso. Pressentiam que, pelo estilo e pelo conteúdo da pregação de Cristo, ele desconstruiria Moisés, o que seria o fim da vida pública de Cristo.

Deus ignora perguntas desonestas feitas por aqueles que estão mais interessados em se eximir de um compromisso com a verdade do que em conhecer a verdade. A realidade é que teólogos podem estar preocupados com o que não preocupa a Deus. Pregadores cuja teologia não revela Cristo, não exalta Cristo e não é mediada por Cristo estão privados da luz que vem do alto.

Não é teologia revelada aquela que é produzida para arruinar vidas, transformar homens em estátuas de mármore e banir da igreja o próprio Deus.

Que nenhum homem queira receber da parte de Deus este tratamento: "Mas, Jesus, inclinando-se, escrevia na terra com o dedo". Perceba que Cristo não olha nos olhos daqueles religiosos. Não os considera. Ignora-os. Vira-lhes as costas. Jamais ele tratou publicanos, meretrizes, leprosos ou miseráveis desse jeito. Somos remetidos, portanto, a uma grande verdade: a canalhice do religioso é, entre todas, a mais abominável aos olhos de Deus.

O religioso empedernido põe na boca de Deus o que Deus nunca falou, faz que Deus seja confundido com o diabo, leva os seres humanos a perder o encanto pelo próprio Criador e "mata" Deus e os homens usando a própria Bíblia como justificativa para sua insânia. Detectar o diabo fazendo o papel de ventríloquo, capaz de usar líderes religiosos como seus bonecos, pode ser tão complexo como perceber o lobo que atua sob o disfarce da ovelha.

Deus está de costas para igrejas inteiras, ignorando seus planos, recusando-se a participar de suas assembleias, suprimindo transcendência dos seus cultos. Deus não tem participação em projetos de morte. Há sempre a possiblidade de a igreja se transformar no seu avesso. Por isso, a pregação expositiva, num espírito de oração, que faz passar pelo escrutínio das Escrituras as mais diferentes áreas da vida da igreja, é a principal via para a reforma constante da Igreja.

Tudo pode se deteriorar subitamente. Igrejas que começaram bem podem passar a ser tidas no céu como sinagogas de Satanás. Que haja democracia! Que todos tenham liberdade para apresentar suas questões! Que a teologia do "ungido que não pode ser chamado de herege" seja banida da igreja! Que, enquanto o pregador prega do púlpito, os que ouvem nos bancos a mensagem confiram nas Escrituras se o que está sendo pregado flui naturalmente da passagem selecionada para a pregação. Que todos exijam que o pastor pregue todo o conselho de Deus, de modo claro, com aplicações corajosas dos princípios revelados, confrontando a cultura, jamais deixando de apresentar o Deus real por força do medo de esvaziar a igreja.

Membros de esquerda, de direita, de centro, de mentalidade pré-moderna, moderna ou pós-moderna têm de sair do templo vez por outra perturbados com o que foi falado. O caminho da esterilidade de uma igreja é o caminho da cooptação ideológica. Cristo não cabe nos sistemas de pensamento socialmente construídos.

Há uma milenar curiosidade quanto a este texto. O que Jesus escrevia na terra? Uma interpretação de longa data na igreja tem sido que ele escreveu parte de Jeremias 17.13: "Aqueles que se desviarem de ti terão os seus nomes escritos no pó, pois abandonaram o Senhor, a fonte de água viva". O teólogo britânico T. W. Manson, como nos lembra D. A. Carson, foi o primeiro a sugerir que Jesus estava imitando a prática de magistrados romanos que, primeiro, escreviam suas sentenças e, depois, as liam.[19]

A melhor resposta é que não sabemos o que Jesus escrevia. É impossível saber. Mas permita-me apresentar uma verdade para a qual a imagem de Cristo escrevendo na areia me remete, sem com isso dizer que esse era o sentido da sua atitude. Somos seres morais. Ninguém é absolutamente relativista. Nenhum relativismo moral suporta mãe e filha entrando numa câmara de gás perante o olhar indiferente de um soldado alemão. Essa é a grande contradição e ponto de tensão da modernidade. Pense num homem como Nietzsche. Ele soube como poucos botar de modo profundamente racional o dedo na ferida da modernidade, ao dizer que não houve coragem suficiente por parte dos pensadores modernos de levar os pressupostos racionalistas do iluminismo até as suas conclusões lógicas. Se Deus não existe, não há fundamento intelectual para os ideais de fraternidade, igualdade e liberdade preconizados pela Revolução Francesa. Observa-se, entretanto, que a maior parte da humanidade, mesmo os familiarizados com as consequências práticas da morte de Deus na cultura moderna, não o segue consistentemente.

A cultura moderna racha ao meio os seres humanos. Ela chama de falsa consciência o que o cristianismo chama de natureza humana. Mas aqueles cujas mentes foram conquistadas pelos seus pressupostos intelectuais não conseguem deixar de ser homens. Como testemunha o ensaísta

CRISTO E O MORALISMO RELIGIOSO DO SEU TEMPO | **51**

polonês Czeslaw Milosz, ao falar sobre a sua ruptura — e dos países da Cortina de Ferro — com o socialismo:

> Um homem pode persuadir a si mesmo, a partir do questionamento mais lógico, de que vai aprimorar a sua saúde ao comer sapos vivos; e, assim racionalmente convencido, pode engolir um primeiro sapo e, então, um segundo; contudo, ao engolir o terceiro, seu estômago se revolta. Da mesma maneira, a crescente influência da doutrina sobre a minha maneira de pensar confrontou a resistência da minha própria natureza.[20]

Como a natureza humana não pode ser erradicada, passamos pela vida fazendo julgamentos morais. Alguns são justos, outros são profundamente injustos, em razão dos condicionamentos impostos pelo egoísmo humano. Muitas vezes, são seletivos, arbitrários, desproporcionais ao prescrever a sentença condenatória, em grande parte amalgamados à defesa consciente ou inconsciente de interesses pessoais.

Embora eu não esteja nem um pouco certo quanto à interpretação do texto, ver Cristo escrevendo enquanto homens denunciam pecados faz-me pensar no livro que estamos ditando para Deus. Imagino cada sentença moral emitida por você e por mim indo parar nas páginas desse livro. No dia do Juízo Final, no qual os vivos e os mortos comparecerão perante o tribunal de Deus — doutrina absolutamente racional, uma vez que seria a subversão de toda a ordem moral do universo justos e injustos terem seus caminhos nesse planeta relativizados pelo próprio Criador santo, de maneira que ser um Martin Luther King ou um Osama Bin Laden não faria a mínima diferença para o Justo Juiz —, esse livro será aberto e lido para você e para mim. Uma pergunta nos será feita: o que você tem a dizer sobre o modo como viveu, à luz do que a vida inteira, muitas vezes com severidade e até mesmo clamando pela punição do culpado, cobrou da vida do seu semelhante? Não sei como pessoas não tremem diante desse fato e não buscam a reconciliação com Deus antes da chegada desse grande dia.

Os religiosos insistem na pergunta. Foram forçados a lidar com o silêncio de Deus. Muita teologia já foi elaborada com o teólogo escrevendo perante um Deus silente. Muita pregação já foi feita perante um Cristo indiferente para o trabalho do pregador. Muita oração já foi tida por Deus como afronta e provocação à sua santidade. Foi o que aconteceu com aqueles homens. Despertaram Cristo da sua deliberada indiferença, mas para ouvir o que não desejavam.

Réus e juízes

"Aquele que dentre vós estiver sem pecado seja o primeiro que lhe atire pedra", disse o Senhor Jesus. Muito antes do movimento feminista, vemos Cristo salvando uma mulher de uma cultura machista. Não apenas isso: ao salvá-la, salvava a todos. A você e a mim. Ali estávamos você e eu. Não há como dissociarmos a luta pelos direitos das minorias da luta pelo nosso direito pessoal. Colocarmo-nos no lugar dos que não têm voz e lutar pelos seus direitos pode significar, mais adiante, termos contribuído para a preservação dos nossos direitos e dos daqueles que nos são próximos.

Cristo os faz sair do trono de Deus. Um silogismo lógico é subentendido. Pecadores não estão habilitados a julgar e condenar eternamente os seus pares. Todos pecamos. Não estamos em condição de julgar com retidão. É insensatez

CRISTO E O MORALISMO RELIGIOSO DO SEU TEMPO | **53**

usar critérios de julgamento que um dia serão aplicados à vida de quem julga.

As relações humanas seriam radicalmente diferentes se o coração dos homens fosse tornado doce pela pregação do evangelho. Não conheço nada que nos apresente motivos mais elevados para tratarmos com gentileza, compaixão e paciência os que pecaram do que o evangelho de Cristo. Quem é o convertido? Justamente o que não ousa pegar em pedra. Por quê? Porque ele foi humilhado, pranteou pela sua culpa, chorou pelo perdão recebido e foi tornado espontaneamente gentil pela estimativa que fez de si mesmo à luz do evangelho.

O evangelho nos dá motivo tanto para não nos sentirmos superiores quanto para não nos sentirmos inferiores a quem quer que seja. Não levantamos a cabeça. Não a curvamos. Sabemos quem somos: simultaneamente justos e pecadores. Homens e mulheres tornados justos pela graça mediante a fé somente. Homens e mulheres que ainda carregam dentro de si parte do que há no mundo que crucificou a Cristo.

Mais uma vez, Cristo deliberadamente os ignora. "E, tornando a inclinar-se, continuou a escrever no chão", relata o texto sagrado. Jesus não os chama para apresentarem novas questões, não pede que fiquem, não impede o escândalo. Eles foram deixados entregues a si mesmos.

Deus pune o pecado com o pecado. A ninguém tenta, mas pode suprimir sua graça a fim de que os homens, quando entregues a si mesmos, sejam demovidos da sua arrogância. Deus pode usar a queda de um homem para humanizá-lo. Há pessoas que se tornaram melhores por causa dos seus pecados. Passar uma noite envolvido com pornografia na internet, invejar a prosperidade de alguém, experimentar prazer secreto pelo fracasso daquele a quem inveja, explodir de raiva e falar tolice tornada pública são atitudes que podem ser usadas por Deus para que um homem tanto aprenda a depender mais da graça divina para viver como aprenda a manter atitude graciosa com o próximo.

Longe de mim estimular alguém a pecar. Conhecemos o salário do pecado. Pecar contando com o arrependimento é temerário, uma vez que o arrependimento é dom divino, e não algo que possamos acionar quando bem entendermos. Melhor ser tornado santo por aprender diretamente das Escrituras do que aprender a ser santo por meio dos safanões da vida. Mas há daqueles que, de uma forma ou de outra, são incapazes de virar homens. Possivelmente, alguns dos que naquele início de dia dedicaram-se a tarefa tão diabólica.

O texto prossegue: "Mas, ouvindo eles esta resposta e acusados pela própria consciência, foram-se retirando um por um, a começar pelos mais velhos até aos últimos, ficando só Jesus e a mulher no meio onde estava". Cristo desfez os planos deles. Sua resposta sábia não apenas evitou que falasse o que seria usado contra ele, como também desmontou o discurso moralista daqueles homens.

Não estamos aqui perante o que poderíamos chamar de arrependimento segundo Deus, verdadeira convicção de pecado resultante da real percepção da pecaminosidade humana, seguida da decisão consciente de buscar perdão e transformação em Deus. Aqueles religiosos sentiram o que pode-se experimentar a despeito da obra de regeneração da graça divina. Igrejas podem crescer a partir de dramas superficiais de consciência, que mais servem para gerar fariseus do que santos.

Os religiosos não ficaram para pedir perdão. Eles não bateram no peito, dizendo "sê propício a mim, pecador". Pode ser que tenham se retirado por receio de ter suas iniquidades tornadas públicas pelo próprio Cristo. Muitos membros de igrejas encontram-se no limbo da culpa rasa que não conduz ao perdão transformador, mas é suficientemente forte para manter dentro das instituições religiosas gente que vive em estado de perene desassossego, que não descansa e não dá descanso a ninguém.

O diálogo de Cristo com a mulher entrou para a história como um dos exemplos mais reveladores do que Jesus, com o seu evangelho, pode fazer por seres humanos carregados de vergonha e culpa: "ficando só Jesus e a mulher no meio onde estava". Eles levaram a mulher a Cristo, cena que se repete sempre: líderes religiosos que trabalham incansavelmente para a ampliação do seu império eclesiástico podem levar pessoas a Cristo, para a salvação delas e a condenação deles.

O erro daqueles homens foi levar a mulher à pessoa errada. Cristo não é Moisés. Ele veio para salvar, redimir, reconciliar e levar pessoas a conhecer o Deus que apaga da sua memória os pecados dos homens. Ele não é um Cristo contra nós, mas, sim, por nós. Sua obsessão é cuidar de quem não sabe o que fazer com a sua vida no presente em razão dos erros passados. Os escribas e fariseus não puderam contar com Cristo naquela manhã. Como escreveu Lutero, ao falar sobre os primeiros frutos da Reforma Protestante, em contraposição aos dias antes de a luz do evangelho voltar a raiar no mundo:

> Nesse sentido, vós, os mais jovens, sois muito mais felizes do que nós, os mais velhos. Pois vós não fostes impregnados daquelas perniciosas opiniões, com as quais eu, em menino,

fui impregnado de maneira que me apavorava e empalidecia, apenas, com a menção do nome de Cristo, porque fora persuadido de que ele era um juiz. Por isso tenho de fazer um duplo esforço. Primeiro, tenho de desaprender aquela opinião antiga e implantada sobre Cristo como legislador e juiz, e aprender a condená-la e a rejeitá-la, porque ela sempre volta e me puxa para trás. Segundo, tenho de acolher a nova opinião, a saber, a verdadeira confiança em Cristo como meu Justificador e Salvador. [...] por isso, se alguma tristeza ou aflição aflige o coração, ela não deve ser atribuída a Cristo, mas ao diabo, ainda que venha sob o nome de Cristo, pois se transforma em anjo de luz.[21]

O texto segue: "Erguendo-se Jesus e não vendo a ninguém mais além da mulher...". Esse é o ministério de Cristo: se interpor entre nós e quem nos acusa. Cristo botou o seu peito entre a mulher e a lei, entre a mulher e Moisés, entre a mulher o judaísmo, entre a mulher e a religião, entre a mulher e a sua própria consciência, entre a mulher e o diabo, entre a mulher e o inferno, entre a mulher e a morte, entre a mulher e o juízo final.

"... perguntou-lhe: Mulher, onde estão aqueles teus acusadores? Ninguém te condenou?", relatam as Escrituras. Cristo sabia as respostas. Contudo, era necessário que o amor perdoador fosse selado no coração e na mente de um ser humano a quem a religião tencionava usar e destruir. Respondeu a mulher: "ninguém, Senhor!". Salva do tribunal eclesiástico, convencida do fato de que os que a julgavam não receberam o mandato de Deus para condená-la, agora restava saber o que aquele que é verdadeiramente santo faria da sua vida. Que maravilha o coração oprimido pela culpa fugir do tribunal dos homens a fim de lançar-se

CRISTO E O MORALISMO RELIGIOSO DO SEU TEMPO | **57**

aos pés do rei que quer ser o pai dos quebrantados de coração! Como escreveu o autor de Hebreus:

> Porque não temos sumo sacerdote que não possa compadecer-se das nossas fraquezas; antes, foi ele tentado em todas as coisas, à nossa semelhança, mas sem pecado. Acheguemo-nos, portanto, confiadamente, junto ao trono da graça, a fim de recebermos misericórdia e acharmos graça para socorro em ocasião oportuna.
>
> Hebreus 4.15-16

Cristo ouviu a voz do seu coração. Embora aquela mulher não tenha articulado palavra de arrependimento, o contraste entre a atitude de Cristo e o comportamento daqueles homens fez que ela anelasse por perdão e recomeço. Disse o Senhor: "nem eu tampouco te condeno; vai e não peques mais". O teólogo metodista americano Arno Gaebelein escreveu no seu comentário sobre o Evangelho de João:

> Como delicada e graciosamente ele tratou da pobre mulher. Ele poderia ter perguntado a ela sobre o seu pecado e culpa. Ele poderia tê-la reprovado. Mas, nada disso veio dos seus lábios. Ele não precisou indagá-la sobre a sua culpa. Ele conhecia a sua história como conhece a nossa. Ela se dirigiu a ele chamando-o de "Senhor", o que evidencia que ela acreditou nele.[22]

Ali estava quem não tinha pecado. O único entre os homens em condição de fazer a leitura do seu coração, avaliar seu estado de alma e condená-la sem cometer injustiça. Cristo era capaz também de avaliar o que aquele adultério poderia representar para o noivo ou marido traído. Em nenhum momento ele desconsiderou o fato de que somos responsáveis por quem cativamos. Ela havia feito mal a alguém. O Deus que existe, entretanto, se revela no evangelho de seu único Filho como gracioso. Deus ama os que não são dignos do seu amor, apesar das feridas que causaram na vida daqueles que também por ele são amados.

A maravilha do trabalho de pregação é poder, como embaixador de Cristo, representante do reino dos céus, arauto do Rei do universo, declarar, em nome de Jesus, no lugar de Jesus, para a glória de Jesus: "nem eu tampouco te condeno". A Igreja foi chamada para anunciar ao mundo a existência de um Deus que transforma condenados em filhos. Esta é a mais bem-aventurada alegria do ministério de pregação: selar o perdão, testemunhar pessoas retornando para casa a fim de ser a alegria do lar, comer sua comida, sentir o sabor e dormir em paz.

Não há melhor companhia na vida do que uma consciência pacificada pela graça de Deus. A mensagem do pregador consiste em dizer à consciência revolta em culpa: "mar, aquieta-te; vento, cessa". Igreja deveria ser lugar de alegria, música e adoração, no qual pessoas tornadas descomplicadas amam e se permitem amar.

É preciso dar um fim às racionalizações, às tentativas de tratar da culpa imputando a responsabilidade dos atos à genética, à cultura, às condições sociais, às experiências da primeira infância. Basta a palavra de Cristo! Qualquer outro terreno em que fundamentar a paz de consciência é areia movediça. Até mesmo porque, no divã, nos lembramos que dificilmente a indulgência relativista manifesta-se nas ocasiões em que a vítima somos nós.

Graça reprocessadora

Outra lição que gente engajada em instituições religiosas e preocupada com a manutenção de certo padrão de moralidade dessas instituições precisa aprender é que a graça de Deus é poderosa para reprocessar os erros que cometemos. Deus transformou o pecado em caminho de redenção para a vida daquela mulher.

Uma noite passada na cama com um homem. O pânico pela chegada dos oficiais do templo. A humilhação pública. O escárnio. A autoestima lançada ao chão. A coerção social. O medo da ruptura de laços de amizade. Tudo usado pela graça divina, a fim de que uma mulher conhecesse o amor de Deus, que está em Cristo.

Aquela mulher era pior antes do pecado. O marido traído passaria a ter ao seu lado uma mulher transformada pela compaixão divina. Se ele seguisse os seus passos, o encontro de alma seria completo. Mas está acima da condição da maioria de nós ver a vida com olhos da graça, exceto quando o culpado somos nós. Não vejo como exigir esse padrão ético de um homem que viu o pacto conjugal ser rompido pela mulher, mas nenhum de nós pode negar a beleza de um perdão como esse.

Há uma ética sexual nas Escrituras. Não há como não haver. Como trivializarmos tamanho nível de intimidade, capaz de despertar os sentimentos mais belos, que demandam reciprocidade? Essa história não relativiza o sexo. Cristo ensina sem palavras. O modo como tratou uma mulher sobrecarregada de vergonha serve de referência para todos nós. O que ele nos ensina? Digo, com santo temor, que ele somente conquistou o seu coração por não ter se comportado como os escribas e fariseus, nem como o amante. Jamais um homem que um dia conheceu, à luz do evangelho, o valor da vida humana deveria se aproximar de uma mulher de modo que o seu comportamento o impeça de comunicar a ela o amor de Cristo. Esse elemento é central na ética sexual do Novo Testamento.

A que conclusão chegamos após o exame de uma passagem como essa? Há uma diferença abissal entre pregar moralidade e pregar o evangelho. A Igreja não foi chamada para se transformar numa escola de boas maneiras. Tampouco, a esperar que, por meio da educação, possa levar não cristãos a se comportar como cristãos. É desvio grave da sua missão no mundo a Igreja cessar de pregar o evangelho a fim de pregar moralidade.

Quando a Igreja deixa de cumprir seu chamado? Sempre que inverte a ordem do versículo 11, isto é, quando diz "não peques mais" sem antes proclamar a mensagem que habilita o homem a ouvir — pela fé — Deus lhe dizer: "Nem eu tampouco te condeno". A igreja foi chamada para proclamar o evangelho! Mensagem contra a qual a razão, a consciência e o diabo se levantam.

Primeiro vem o anúncio das boas-novas, que dá ensejo à paz com Deus e à paz de Deus. Jamais obteremos a paz de Deus, experiência subjetiva do coração, enquanto não alcançarmos a paz com Deus, fruto da experiência objetiva da reconciliação entre a criatura e o Criador.

O pecador é abraçado e emancipado dos terrores da Lei. Moisés é silenciado. Parte do Antigo Testamento perde seus efeitos. Fim das leis cerimoniais e civis. A ética evolui. O pecador arrependido sai da esfera da Lei e entra no universo da graça. Sai o medo. Entra a gratidão. Somente a partir desse ponto, a Igreja está no dever de falar sobre a vida regenerada, a ser vivida por regenerados. Agora, sim, pode-se falar sobre sexo, justiça social, ética privada, ética pública, trabalho, casamento, educação de filhos, virtudes teologais. Se a ordem for invertida, os sanatórios psiquiátricos e os consultórios dos psicoterapeutas se encherão de cristãos.

Termino este capítulo com uma das declarações mais comoventes daquele que, como ninguém, ajudou os cristãos a separarem Deus de religião, Lei de graça, Cristo de Satanás. Não conheço luz que mais nos ajude a entender o sentido da frase: "Nem eu tampouco te condeno; vai e não peques mais" do que estas palavras de Martinho Lutero:

Depois que ensinamos, desse modo, a fé em Cristo, ensinamos, também, a respeito das boas obras. Visto que te apropriaste pela fé de Cristo, por intermédio de quem te tornaste justo, vai, agora, e ama a Deus e ao próximo, faze o teu dever. Essas são, verdadeiramente, as obras que manam dessa fé e brotam na alegria do coração, porque recebemos, gratuitamente, remissão de pecados por causa de Cristo. [...] toda a cruz e sofrimento que se devem carregar depois são suportados suavemente. Porque o jugo que Cristo impõe é suave, e o seu fardo é leve. Pois, quando o pecado foi perdoado e a consciência foi libertada do peso e do aguilhão do pecado, o cristão pode, facilmente, suportar tudo. Ele, voluntariamente, faz e sofre tudo porque dentro dele tudo é suave e doce.[23]

CAPÍTULO 2

Cristo e a tradição religiosa socialmente construída

Ora, reuniram-se a Jesus os fariseus e alguns escribas, vindos de Jerusalém. E, vendo que alguns dos discípulos dele comiam pão com as mãos impuras, isto é, por lavar (pois os fariseus e todos os judeus, observando a tradição dos anciãos, não comem sem lavar cuidadosamente as mãos; quando voltam da praça, não comem sem se aspergirem; e há muitas outras coisas que receberam para observar, como a lavagem de copos, jarros e vasos de metal [e camas]), interpelaram-no os fariseus e os escribas:

Por que não andam os teus discípulos de conformidade com a tradição dos anciãos, mas comem com as mãos por lavar?

Respondeu-lhes: Bem profetizou Isaías a respeito de vós, hipócritas, como está escrito:

Este povo honra-me com os lábios, mas o seu coração está longe de mim. E em vão me adoram, ensinando doutrinas que são preceitos de homens. Negligenciando o mandamento de Deus, guardais a tradição dos homens.

E disse-lhes ainda: Jeitosamente rejeitais o preceito de Deus para guardardes a vossa própria tradição. Pois Moisés disse: Honra a teu pai e a tua mãe; e: Quem maldisser a seu pai ou a sua mãe seja punido de morte. Vós, porém, dizeis: Se um homem disser a seu pai ou a sua mãe: Aquilo que poderias aproveitar de mim é Corbã, isto é, oferta para o Senhor, então, o dispensais de fazer qualquer coisa em favor de seu pai ou de sua mãe, invalidando a palavra de Deus pela vossa própria tradição, que vós mesmos transmitistes; e fazeis muitas outras coisas semelhantes.

Convocando ele, de novo, a multidão, disse-lhes: Ouvi-me, todos, e entendei. Nada há fora do homem que, entrando nele, o possa contaminar; mas o que sai do homem é o que o contamina. [Se alguém tem ouvidos para ouvir, ouça.]

Quando entrou em casa, deixando a multidão, os seus discípulos o interrogaram acerca da parábola. Então, lhes disse: Assim vós também não entendeis? Não compreendeis que tudo o que de fora entra no homem não o pode contaminar, porque não lhe entra no coração, mas no ventre, e sai para lugar escuso? E, assim, considerou ele puros todos os alimentos.

E dizia: O que sai do homem, isso é o que o contamina. Porque de dentro, do coração dos homens, é que procedem os maus desígnios, a prostituição, os furtos, os homicídios, os adultérios, a avareza, as malícias, o dolo, a lascívia, a inveja, a blasfêmia, a soberba, a loucura. Ora, todos estes males vêm de dentro e contaminam o homem.

Marcos 7.1-23

O que havia em Cristo que tanto despertou a ira das autoridades religiosas do seu tempo? Antes de respondermos a essa pergunta, é importante que pensemos no seguinte fato: Jesus foi objeto do ódio de pessoas que liam as Escrituras. Os conflitos de Cristo com a religião do seu tempo, revelados nos quatro evangelhos, não se trataram de desavenças com lideranças religiosas pagãs, mas, sim, de conflitos com gente que se dizia herdeira da revelação do Antigo Testamento.

William Hendriksen apresenta cinco razões para esse ódio: Cristo atribuía a si mesmo prerrogativas divinas; ele não honrava suas tradições com respeito ao dia de repouso, jejuns, abluções e outras questões; Jesus se relacionava

CRISTO E A TRADIÇÃO RELIGIOSA SOCIALMENTE CONSTRUÍDA | **65**

com publicanos e pecadores; o Senhor Jesus exercia o que eles consideravam influência perniciosa sobre o povo; e Cristo era o oposto deles.[1]

A história da Igreja revela-nos com clareza um fato que perpassa os séculos: as instituições religiosas costumam perseguir seus melhores membros. O fogo amigo tem causado muitas baixas no exército de Cristo.

Conhecer o Cristo que emerge dos embates que ele travou com a cultura religiosa dos seus dias é condição indispensável para que façamos distinção entre o que ele ensinou e o que tem sido ensinado por igrejas que se dizem bíblicas. Os motivos das incongruências são nítidos e o que indignava Jesus e o levava a fazer as denúncias mais graves pode ser visto com clareza nos relatos de Mateus, Marcos, Lucas e João. O próprio ódio religioso que levou professores de teologia a tramarem sua morte também lança luz sobre o conteúdo da pregação de Cristo.

Uma das mais injustas desonestidades intelectuais presentes na cultura moderna, bem como nas críticas que, em geral, são feitas ao cristianismo, consiste em não separar Cristo daquilo que a instituição igreja tem feito com a mensagem de Cristo. Culpas que são imputadas a Cristo deveriam ser imputadas às instituições eclesiásticas.

A pregação pode levar pessoas a se relacionarem com um ídolo chamado "jesus cristo". O título "cristo" pode ser usado para desviar pessoas do Cristo real. Qual é a relação de Cristo com a venda de indulgências? Quem consegue encontrar na sua mensagem justificativa para as Cruzadas da Idade Média? Como relacionar o Sermão do Monte às igrejas que resistiram à luta pelos direitos civis dos negros nos Estados Unidos? Como reputar como conservador alguém acusado pelos seus contemporâneos de ser anarquista? Como considerar anarquista alguém que tanto ensinou a conservarmos o que o amor prescreve como princípio eterno? Como chamar sua mensagem de droga que faz seres humanos ignorarem as questões políticas? Quem pode dizer que sua pregação estimulou o que de pior há no capitalismo? Quem pode afirmar que a sua pregação serviu de base para o que de mais ingênuo e desumano pode ser encontrado no marxismo?

Conhecer o Cristo dos duros embates que ele travou com os intérpretes do Antigo Testamento é ponto de partida para a reforma da igreja. Se Cristo não for a referência, a gênese e a fonte de inspiração das tentativas de reformá-la, a instituição poderá até se transformar num bastião da ortodoxia, mas não a ponto de seus membros tornarem-se parecidos com Cristo. De que vale o retorno à ortodoxia se o conhecimento da doutrina não faz a vida de Cristo ser reproduzida na vida dos cristãos? Que avivamento é esse que faz igrejas inteiras estarem mais interessadas em voltar aos séculos 16 e 17, a fim de encontrar os reformadores e os puritanos, do que estarem interessadas em voltar ao primeiro século, a fim de encontrarem Cristo? Como escreveu C. S. Lewis: "A igreja não existe senão para atrair os seres humanos a Cristo e torná-los pequenos Cristos. Se ela não estiver fazendo isso, todas as catedrais, o clero, as missões, os sermões e até mesmo a própria Bíblia não passarão de mera perda de tempo".[2]

Ler os relatos desses conflitos nos faz temer estar envolvidos com os mesmos erros que Cristo denunciou. Eles estão presentes em toda parte, para escândalo de homens e mulheres que, do lado de fora da igreja, não conseguem entender como pessoas podem se dedicar a algo tão medíocre, e incapaz de fazer a mínima diferença para a sociedade.

CRISTO E A TRADIÇÃO RELIGIOSA SOCIALMENTE CONSTRUÍDA | **67**

A igreja seria enormemente beneficiada por se dedicar ao exercício de se colocar no lugar dos escribas e fariseus e pensar na possibilidade de Cristo estar, hoje, se dirigindo a ela nos mesmos termos. O valor de responder uma única pergunta seria incalculável: estamos envolvidos com o trabalho inconsciente de matar Cristo?

Jamais perderíamos o encanto por Jesus se o víssemos à luz da sua luta por revelar a beleza do Criador em contraposição ao espectro diabólico que a cultura religiosa do seu tempo chamava de "deus". A imagem de um Cristo que se sente confortável dentro da igreja, não perturbado, sem ânsia de vômito, aniquila qualquer interesse real pela sua mensagem.

Não sei como seria minha relação com a igreja se tivesse abraçado a causa dos direitos humanos quando ainda era jovem, e não aos 45 anos, como ocorreu a partir de 2007. Era impossível voltar das favelas, dos enterros de vítimas de homicídios, das manifestações de rua, das prisões, dos hospitais públicos... e ler a Bíblia da mesma forma. O conteúdo ético das minhas pregações mudou perceptivelmente, não a ponto de negar o que ensinava, mas de não conseguir deixar de incluir o que a rua me obrigou a ver.

Lembro-me de uma conversa que tive com o líder máximo de uma denominação evangélica. Eu lhe falava sobre o que estava vendo no Rio de Janeiro *underground*, sobre a minha perplexidade face à miséria, ao abuso de poder e à indiferença do poder público para com a causa dos socialmente excluídos. Foi quando ele me disse: "Nada do que você me falou me tocou. Nada disso me comove".

Aquele homem foi além: "Fui aconselhado por um de nossos bispos, que tomou conhecimento dos nossos encontros, a não andar com você em razão do risco de ser morto num atentado contra a sua vida". Ficou claro para mim que ele via a desgraça do pobre como responsabilidade exclusiva do pobre, e como romântica, ingênua e antibíblica a minha preocupação com a justiça social. Então eu lhe disse: "Diga a esse bispo que ele é um frouxo". O que seria da minha relação com a igreja se tivesse lidado com essa assombrosa indiferença nos primeiros anos de vida cristã?

John Stott escreveu, em referência a um episódio ocorrido na América Latina — continente no qual a igreja expressou, em não poucas ocasiões, seu pior lado:

> Nós temos de retornar agora ao Cristo libertador, e para a convicção de jovens idealistas de que ele é o defensor do pobre e do oprimido. Quando Salvador Allende, presidente marxista do Chile, caiu em 1973, uma grande missa para estudantes marxistas foi realizada em Quito, Equador. O pregador foi Leonidas Proaño, bispo de Riobamba, que, embora fosse conhecido como o *"obispo rojo"* ("bispo vermelho"), não era de fato marxista, uma vez que ele insistia em dizer que sua motivação para o ministério não era Karl Marx, mas Jesus Cristo, que se identificava com o pobre. Então, na missa para Allende ele proclamou o autêntico e compassivo Jesus, o Jesus crítico da ordem política, o Jesus radical dos evangelhos. Durante o tempo para perguntas que se seguiu, os estudantes responderam: "Se tivéssemos ao menos conhecido esse Jesus, nós jamais nos teríamos tornado marxistas".[3]

Polícia do pensamento teológico

O texto de Marcos relata: "Ora, reuniram-se a Jesus os fariseus e alguns escribas, vindos de Jerusalém". Havia se manifestado em Israel, naqueles dias, o próprio Filho de Deus, a Luz do mundo, o Verbo que se fez carne. Em Cristo, declara o apóstolo Paulo, "todos os tesouros da

CRISTO E A TRADIÇÃO RELIGIOSA SOCIALMENTE CONSTRUÍDA | **69**

sabedoria e do conhecimento estão ocultos" (Cl 2.3). As Escrituras o apresentam como fonte de toda a verdade, seja qual for a área de investigação do espírito humano. Sendo assim, Cristo falou muito menos do que poderia ter falado. Mas, do que ensinou, deixou-nos como legado as respostas mais ricas e claras para as questões mais importantes da vida. Nada na sua pregação é descartável.

Em tudo o que Jesus disse há o selo da autoridade divina, uma vez que a beleza da verdade se manifestou por meio da beleza do Filho de Deus. Eu jamais seria pregador se não acreditasse no que estou afirmando. Luz, beleza e graça a serem comunicadas aos homens! Num mundo impressionantemente escuro, surge a possibilidade de a vida fazer sentido para os que tiveram o seu caminho iluminado por Cristo. Ali estava, portanto, a verdade revestida de carne e osso, porque aprouve ao Pai fazer os cegos enxergar.

Trabalho entre ricos e pobres. A singularidade e a relevância da mensagem de Cristo tornam-se claras na vida de quem quer que seja nas horas da mais alta realidade, quando a vida faz o homem tornar-se filósofo, pensador profundo e sóbrio, como quando um filho é internado no CTI de um hospital, quando se perde um grande amor, ou na morte de um parente querido. Nesse vale da sombra da morte, homens e mulheres querem a Cristo, cuja mensagem é a única capaz de enxugar suas lágrimas. Como declara o ensaísta polonês Czeslaw Milosz, em passagem de profundo realismo, própria de quem foi ao inferno e voltou:

> O intelectual do Oriente é um crítico severo de tudo que vem do Ocidente. Ele já foi traído de forma tão frequente que não aceita as consolações baratas que eventualmente se provarão ainda mais deprimentes. A guerra o tornou incrédulo e altamente capacitado a desmascarar a falsificação e a simulação.

Ele rejeitou diversos livros de que gostava antes da guerra, assim como muitas vertentes da pintura e da música, porque não passaram pelo teste da experiência. O trabalho do pensamento humano deve suportar o teste da realidade nua e brutal. Se não o suporta, de nada vale. Provavelmente, apenas aquelas coisas que conseguem preservar sua validade diante dos olhos de um homem ameaçado pela morte instantânea valem a pena.[4]

Chama-me a atenção a oportunidade desperdiçada por aqueles escribas e fariseus, que foram de Jerusalém não para ouvir e aprender com Cristo, mas para flagrá-lo em algum erro, a fim de terem justificativa para matá-lo e apagar a luz. Eles haviam sido enviados pela capital do ensino religioso de Israel com a missão de examinar a pregação de um rapaz que arrastava consigo multidões, encantadas com a sua mensagem.

Fica mais uma lição para quem está envolvido com a instituição religiosa: não há nada mais deletério para a nossa vida espiritual do que julgarmos que pertencemos à corrente de pensamento teológico detentora do monopólio da verdade. Como nos lembra o teólogo alemão Johannes Althusius: "Não surgiu até agora nenhuma forma de pensamento tão perfeita a ponto de ser subscrita por todos os homens cultos".[5]

Jerusalém considerava-se no direito de a todos julgar, fazendo o papel de polícia do pensamento, e tendo à sua disposição amplos instrumentos de coerção, a fim de silenciar e condenar ao ostracismo os que faziam oposição ao que os teólogos da cidade santa ensinavam.

Como pessoas podem chegar à mesma presunção nos nossos dias? Localização geográfica é uma das respostas, por pertencer a uma cidade importante de uma nação rica.

CRISTO E A TRADIÇÃO RELIGIOSA SOCIALMENTE CONSTRUÍDA | **71**

Outra causa é a tradição, o que ocorre muitas vezes quando determinada igreja ou denominação está associada a grandes personalidades do passado, a eventos que marcaram a história ou a instituições de ensino renomadas. Uma terceira causa dessa pretensão é o fato de indivíduos terem acesso a boa literatura, e se orgulharem disso. Os tais mencionam de memória o que há de melhor em teologia, julgando que, pelo fato de mencionarem esses luminares da fé, são necessariamente portadores do seu espírito.

O tamanho da igreja, seus feitos, os recursos financeiros de que dispõe e o esplendor do seu santuário, com colunas e vitrais, podem ser motivo de muita soberba. Ou, ainda, a formação acadêmica de seus líderes, que lhes proporcionam ter diplomas e títulos. Fama. Reconhecimento público. Influência política. E muito mais. Fato é que dificilmente algum bem é acrescentado à vida de um homem sem que se torne motivo de tentação.

Qual é o problema de fazer parte da igreja de Jerusalém? O problema não está, obviamente, em estar situada em Jerusalém, ter-se tornado grande e famosa ou ser erudita, mas em permitir que seu caráter seja deformado por suas conquistas. Nesse sentido, nada pior do que julgar-se intérprete infalível da verdade, tornar-se incapaz de reconhecer os próprios erros e fechar-se para o saber que vem de fora.

É muito importante que desconfiemos da ideia de que nós e a vertente do cristianismo a que pertencemos alcançamos o estágio intelectual mais avançado da Igreja. Há evidência para tal? Como diz Tomás de Kempis: "Toda perfeição nesta vida traz consigo alguma imperfeição; assim toda especulação é acompanhada de alguma obscuridade".[6] A igreja mais renomada, portanto, estava envolvida com uma trama que tinha como objetivo matar o Messias.

Quais as principais salvaguardas para evitarmos esse erro? Primeiro, sabermos que Deus costuma operar a partir dos lugares em que menos esperamos, usando como instrumentos os que consideramos menos qualificados:

> Irmãos, reparai, pois, na vossa vocação, visto que não foram chamados muitos sábios segundo a carne, nem muitos poderosos, nem muitos de nobre nascimento; pelo contrário, Deus escolheu as coisas loucas do mundo para envergonhar os sábios, e escolheu as coisas fracas do mundo para envergonhar as fortes; e Deus escolheu as coisas humildes do mundo, e as desprezadas, e aquelas que não são, para reduzir a nada as que são; a fim de que ninguém se vanglorie na presença de Deus.
>
> 1Coríntios 1.26-29

Segundo, compreendermos que não há igreja que consiga se abstrair por completo das influências exercidas pela cultura dentro da qual está inserida. Especialmente, se esse conjunto de valores, normas e hábitos se tornou influente no mundo e demonstrou capacidade de produzir prosperidade. Isso impõe a você e a mim a obrigação de ouvirmos o que membros de culturas diferentes têm a dizer sobre a compreensão a que chegaram sobre a fé cristã.

Nos anos subsequentes à Segunda Guerra Mundial, no contexto da Guerra Fria, no qual os que haviam passado pelos terrores do regime nazista enfrentavam os horrores do stalinismo marxista dos países da Cortina de Ferro, Czeslaw Milosz traçou o seguinte contraste entre a experiência desses povos e a cultura americana:

> O homem do Leste não consegue levar os americanos a sério porque eles passaram por experiências que ensinam os homens quão relativos seus julgamentos e pensamentos são. Sua resultante falta de imaginação é impressionante. Visto que

CRISTO E A TRADIÇÃO RELIGIOSA SOCIALMENTE CONSTRUÍDA | **73**

eles nasceram e foram criados em uma dada ordem social e em um dado sistema de valores, acreditam que qualquer outra ordem deve ser "anormal" e não pode durar por ser incompatível com a natureza humana.[7]

Pode acontecer, entretanto, algo tão ruim quanto restringirmos nossa visão do cristianismo à tradição a que pertencemos: não nos abrirmos para o que há de bom na própria cultura do nosso país, deixando, também, de ouvir seus clamores por justiça, em razão da subserviência a uma interpretação enviesada da Bíblia, feita por quem pertence à nação que consideramos superior à nossa em sua capacidade de compreender as Escrituras.

Responda a uma simples pergunta: de qual país vem a maior parte dos livros que você lê e as pregações que ouve em congressos de teologia? Em seguida, se pergunte: os pastores desse país, no caminho da sua casa para a igreja, são forçados a cruzar cinco favelas? Participam de enterros de crianças vítimas de bala perdida? Lidam com pessoas que acordam sem saber onde obter o que comer? Será que eles vivem a mesma realidade que vivemos no Brasil e, por essa razão, enxergam a fé e suas aplicações do mesmo modo que nós?

Em terceiro lugar, vale mencionar a possibilidade de fazermos parte de um movimento que tem como característica a prática de um alimentar a loucura do outro. São as mesmas pessoas, durante anos a fio, lendo as mesmas coisas, ouvindo os mesmos pregadores, convivendo com as mesmas preocupações morais, enquanto permanecem alheias à vida que se experimenta onde não se podia imaginar que se manifestasse. Assim, passamos a ver como plausível apenas o que faz parte do pequeno mundo em que vivemos. E esse mundo pode enlouquecer, adoecer, perder a relevância histórica, transformar-se em inimigo da obra que Deus está fazendo por meio da vida de outros e fazer oposição ao próprio Cristo. Tudo isso por não conseguir enxergar outras referências de cristianismo.

Há pessoas cuja pregação e vida representam censura moral ao modo como nós e nossos amigos vivemos.

O evangelho e a tradição dos homens

Prosseguindo no relato de Marcos, vemos o que a comissão enviada por Jerusalém descobriu ao encontrar-se com Cristo e seus amigos. Aqueles escribas e fariseus perceberam que alguns dos discípulos de Jesus comiam com as "mãos impuras", isto é, sem lavá-las. A preocupação não era com a higiene, mas sim com uma lei cerimonial, um ritual de purificação considerado indispensável para o ato de ingerir alimento. Diz o teólogo americano Dewey M. Mulholland:

> A tradição rabínica de "lavar as mãos" determinava o "quando" e o "como" obter pureza ritual. Cada passo era detalhado, especificando até a quantidade mínima de água cerimonialmente pura a ser utilizada. Esse procedimento, porém, não era um mandamento. Foi uma lei oral que evoluiu da lei escrita (o Antigo Testamento) que exigia que os sacerdotes lavassem suas mãos e pés numa bacia de bronze antes de entrarem na tenda da congregação (Êx 30.19; 40.12).[8]

Em conexão a isso, o texto relata que a origem do rito se relacionava a uma "tradição dos anciãos", que era seguida meticulosamente pelo povo judeu, com uma série de desdobramentos. Não apenas as mãos eram lavadas, mas também "muitas outras coisas", como a "lavagem de copos, jarros, vasos de metal e camas". William Hendriksen escreveu:

CRISTO E A TRADIÇÃO RELIGIOSA SOCIALMENTE CONSTRUÍDA | **75**

O mercado era o centro principal de reunião para muita gente e naturalmente era considerado local especialmente contaminante. Um judeu poderia roçar num gentio! Portanto, ao retornar de semelhante lugar, esses judeus não se atreviam a comer a menos que primeiro se submetessem a tudo o que a tradição exigisse com respeito à lavagem de mãos.[9]

O que nos chama, inicialmente, a atenção nessa passagem? O fato de que Jesus simplesmente não havia tocado, nas conversas com os seus discípulos, no tema das purificações da tradição judaica. Ele as ignorava, e levou os seus amigos a também as ignorarem. Isso é profundamente revelador no que se refere à alma da espiritualidade cristã. Sem a mínima dúvida, há um lado não conservador e anárquico na mensagem de Cristo. É impossível ser cristão e não entrar em colisão com a tradição socialmente construída das instituições religiosas. Concordo com o sociólogo francês Jacques Ellul: observa-se no comportamento de Jesus diante das autoridades políticas e religiosas "ironia, desprezo, não cooperação, indiferença e, às vezes, acusação! Ele não é um guerrilheiro, e sim um 'típico' contestador".[10]

Por que Cristo passou por alto grande parte das tradições judaicas do seu tempo? Simples: porque ninguém tem o direito de botar na boca de Deus o que Deus nunca falou. É rematada iniquidade levar pessoas a confundir tradição humana com Palavra de Deus. É derrogatório da glória do Criador levá-lo a ser visto como caprichoso, meticuloso e capaz de exigir idiotices que inviabilizam a vida humana. Como ter respeito por quem cobra da parte dos homens tanta bobagem?

Não há a mínima dúvida de que tudo isso é arquitetado pelo reino das trevas. Ao sobrecarregar os seres humanos com fardos que ninguém consegue suportar, as tradições religiosas fazem que até mesmo cristãos sintam-se exasperados em relação a Deus, passando a agasalhar revolta íntima contra alguém que não lhes dá descanso, exige o irracional e os leva a se desgastar com aquilo que não promove a vida, não aprofunda a comunhão com Deus e não recomenda a fé àqueles que não a conhecem.

Que jamais seja esquecido o fato de que Cristo veio ao mundo a fim de que os seres humanos não confundissem Deus com o diabo. Não há dúvida de que milita contra a adoração a ética despropositada, infantil e diabólica das instituições religiosas, capaz de chamar revelação o que é mera tradição humana.

Como algo se transforma em tradição? Como a tradição vira "revelação"? Como os homens conseguem conviver tanto tempo sob o jugo insuportável da tradição religiosa? Como pessoas se dedicam à defesa do indefensável? A razão de fundo tem relação com o conceito de Deus proposto pelas das instituições religiosas e o papel da culpa na construção dos seus valores arbitrários.

A teologia não regulada pelo evangelho expõe os seres humanos às mais diferentes espécies de desatinos teológicos, bizarrices morais e extravagâncias espirituais. A mente humana pode ir longe quando o assunto é ciência e tecnologia, mas, quando o tema é Deus, a razão humana é um completo fracasso. Nunca fomos bons teólogos. Como declara o reformador João Calvino:

> Exatamente como se dá com pessoas idosas, ou enfermas dos olhos, e quantos quer que sofram de visão embaçada, se puseres diante deles até mui vistoso volume, ainda que reconheçam ser algo escrito, mal poderão, contudo, ajuntar duas palavras; ajudadas, porém, pela interposição de lentes, começarão a ler de forma distinta. Assim a Escritura, coletando-nos na mente

CRISTO E A TRADIÇÃO RELIGIOSA SOCIALMENTE CONSTRUÍDA | **77**

conhecimento de Deus de outra sorte confuso, dissipada a escuridão, mostra-nos em diáfana clareza o Deus verdadeiro.[11]

O que já se matou em nome da divindade e remeteu pessoas para o inferno das práticas espirituais desumanizantes são fatos da história dos movimentos religiosos, que prescindem de comprovação. Todo horror que nos assoma pelo sofrimento que as instituições religiosas impingem aos seres humanos desperta-nos para o valor incalculável da pregação do evangelho. Porém, ter a Bíblia nas mãos não significa que se está a usá-la. Ensiná-la não é o mesmo que pregar o evangelho. O evangelho é mensagem que está dentro da Bíblia.

Qual a influência, portanto, que o evangelho tenciona exercer sobre a teologia? Para começar, levar-nos a fazer perguntas bastante simples. O que está sendo ensinado é condizente com a glória de Deus? Seus atributos de amor e sabedoria podem ser encontrados no que é proclamado em seu nome? Dá para imaginar o Pai de Jesus Cristo participando da programação da igreja?

O evangelho exalta um Deus doce! O Deus de Cristo não pede tolice dos seres humanos. Ele é apresentado por Cristo chamando todos para amar. Ele pede o que é razoável, justo e santo. Ele convoca cada homem e mulher para viver a vida que ele vive. E apenas isso.

Não podemos nos esquecer do papel da culpa na formulação das tradições socialmente construídas. A espécie humana é pródiga em trabalhar duro para impressionar a divindade. Vivemos a criar mecanismos de expiação da culpa. Esse sentimento é tão presente em nossa vida, em razão da universalidade do pecado, que é capaz de perverter até mesmo a teologia elaborada com a Bíblia aberta.

Como explicar o cativeiro da igreja durante os anos que antecederam a Reforma Protestante? A gloriosa doutrina da justificação pela fé transformou-se em artigo de fé ignorado, dando ensejo a todo aquele conceito de justiça infundida, em contraposição à justiça imputada, que levou número incontável de pessoas a jamais saber quanto de obra de justiça precisava praticar para comprar o amor de Deus — o que, consequentemente, as tornou expostas a todo um sistema de compensação, suficientemente forte para botar as consciências nas mãos de clérigos e levar membros de igrejas à prática até mesmo do bizarro.

Como testemunhou Martinho Lutero, ao trazer à memória seus dias no mosteiro agostiniano:

> O que estou dizendo [...] aprendi de minha própria experiência e da experiência de outros no monastério. Vi muitos que, com supremo esforço e a melhor intenção, faziam de tudo para apaziguar a sua consciência. Vestiam tecidos grosseiros de pelo de cabra, jejuavam, oravam, flagelavam-se e exauriam seus corpos com vários exercícios com os quais, ainda que fossem de ferro, teriam sido esmigalhados completamente. E, não obstante, quanto mais se esforçavam, tanto mais se apavoravam. E, principalmente, quando se aproximava a hora de sua morte, tremiam a tal ponto que já vi muitos homicidas, condenados à pena capital, morrer mais confiadamente do que eles, que tinham vivido as vidas mais santas.[12]

A tradição dos anciãos passa a ser vista como revelação quando as regras do raciocínio lógico não são respeitadas. Pode-se partir de uma premissa verdadeira, baseada em boa exegese bíblica e no uso da razão, mas chegar-se a conclusões desconectadas do trabalho inicial de coleta de dados. Lembremo-nos de que a lei oral usada pelos escribas e fariseus para julgar Cristo e seus discípulos usava como

CRISTO E A TRADIÇÃO RELIGIOSA SOCIALMENTE CONSTRUÍDA | **79**

fundamento passagem do Antigo Testamento que exigia que os sacerdotes lavassem as mãos e os pés numa bacia de bronze antes de entrarem na tenda da congregação.

Uma norma que um dia se mostrou relevante para o bem-estar da Igreja, o amadurecimento da vida espiritual e a proclamação da fé pode se tornar anacrônica. A intenção inicial foi a melhor possível, boa e útil; contudo, não pôde resistir à mudança do tempo. Mas, justamente devido a seu sucesso, a sua disseminação e sua duração, o contingente pode passar a ser visto como atemporal, o relativo como absoluto, o condicionado pela história como o ensinado pela Escritura.

Muitas dessas regras também cumprem função social importante, ao legitimarem o que é conveniente para a parcela mais abastada e influente da sociedade. Como a constituição desses valores é frágil devido ao seu caráter socialmente construído, atribui-se a eles fundamento metafísico, que depois é internalizado até o ponto de o homem ter uma segunda natureza, não se imaginando fazer de outra forma o que pratica.

O profeta vê tudo isso e se angustia, grita e chama as pessoas para uma vida mais bela, enquanto essas, tragicamente, o têm como excêntrico, recusando-se a sair das prisões em que se encontram. Ao tratar das lutas e da possiblidade de renascimento pessoal de homens e mulheres que estão atravessando a meia-idade, o analista junguiano americano James Hollis faz uma constatação que se aplica perfeitamente ao mundo da experiência religiosa:

> Quem sou eu além da minha história e dos papéis que interpretei? Quando descobrimos que vivemos até agora algo que constitui um falso eu, que temos representado até o momento uma idade adulta provisória, impelidos por expectativas

irrealistas, nós nos abrimos finalmente para a possibilidade de uma segunda idade adulta, nossa verdadeira individualidade [...] talvez o primeiro passo necessário para que a passagem do meio seja significativa seja reconhecer a parcialidade da lente que recebemos da nossa família e da nossa cultura, e através da qual fizemos nossas escolhas e sofremos suas consequências.[13]

Nessas horas, quando somos confrontados por verdades como essas, trazidas a lume por Hollis, sejam sacadas do mundo da religião, da família ou da cultura mais ampla, as palavras de Cristo reluzem e comovem:

> Nunca lestes o que fez Davi, quando se viu em necessidade e teve fome, ele e os seus companheiros? Como entrou na Casa de Deus, no tempo do sumo sacerdote Abiatar, e comeu os pães da proposição, os quais não é lícito comer, senão aos sacerdotes, e deu também aos que estavam com ele? [...] o sábado foi estabelecido por causa do homem, e não o homem por causa do sábado.
>
> Marcos 2.25-27

Em razão dessa ética, que tinha como fundamento a glória de Deus e a felicidade humana, vemos Jesus bradar com firmeza:

> Na cadeira de Moisés, se assentaram os escribas e fariseus. Fazei e guardai, pois, tudo quanto eles vos disserem, porém não os imiteis nas suas obras; porque dizem e não fazem. Atam fardos pesados (e difíceis de carregar) e os põem sobre os ombros dos homens; entretanto, eles mesmos nem com um dedo querem movê-los.
>
> Mateus 23.2-4

Assim, Cristo nos chama para nos reinventarmos, a partir da coragem de ser cristão, apenas cristão, relativizando

CRISTO E A TRADIÇÃO RELIGIOSA SOCIALMENTE CONSTRUÍDA | **81**

todo o resto, tornando-nos livres para amar e encarnar o sentido que o evangelho dá à palavra *amor*. Surge, consequentemente, o desejo de viver a partir do nosso verdadeiro eu, aquele que é animado pelo evangelho e que tem como meta reproduzir a vida de Cristo por meio da singularidade da nossa vida.

Quando o regime imposto pela instituição religiosa não está alicerçado em boa antropologia bíblica, numa ética que desfrute de um mínimo de lucidez e numa teologia que exalte o amor de Deus, o seu produto final é o ser humano remetido à vida antinatural. Violência é praticada contra a sua natureza. Cria-se um mundo dentro do qual ninguém consegue viver. Nada é razoável. Pergunta-se pelo fundamento da norma e não se encontra. Indaga-se sobre a utilidade do estatuto e a resposta é "porque a tradição o ensina". E isso não faz nenhum sentido.

Tudo isso remete, como o texto das Escrituras revela, a uma série de desdobramentos, um verdadeiro labirinto mental, excesso de escrúpulo capaz de levar os seres humanos a perder tempo que deveria ser dedicado às obras do amor.

Cristo nos libertou das práticas infantis disseminadas pelas instituições religiosas a fim de que encontrássemos tempo para as obras do amor. Mas isso não é fácil. Para muitos, é mais vantajoso lavar as mãos antes das refeições do que usá-las para construir algo útil; é mais interessante limpar copos do que limpar o coração; é mais lucrativo proteger-se da contaminação imaginária do que evitar o que polui a mente.

Romper com a cultura religiosa requer coragem baseada em fé. Teme-se sofrer a ira divina e não falta aparato disponível para a prática de severa coerção social. Pregadores podem temer perder os púlpitos de suas igrejas. Muitos sofrem com a ideia de não ser mais convidados a participar de congressos e perdem noites de sono por ver seu nome não passar pelo julgamento das redes sociais.

É triste também ver que "clero" e "laicato" estão tão domesticados pela cultura religiosa que não conseguem mais viver de outra forma. Se lhes for apresentado algo mais belo, livre e, até mesmo, santo, não conseguirão enxergar. Releia este trecho da fala de Jesus:

> (pois os fariseus e todos os judeus, observando a tradição dos anciãos, não comem sem lavar cuidadosamente as mãos; quando voltam da praça, não comem sem se aspergirem; e há muitas outras coisas que receberam para observar, como a lavagem de copos, jarros e vasos de metal [e camas]), interpelaram-no os fariseus e os escribas: Por que não andam os teus discípulos de conformidade com a tradição dos anciãos, mas comem com as mãos por lavar?
>
> Marcos 7.3-5

Você realmente acha que é possível ser feliz num mundo como esse, que segue um modelo de espiritualidade caracterizado pela relação antisséptica com a vida, no qual somente se vê ameaça de contaminação? Esse pensamento cria o ambiente psicopatológico perfeito, que tem como fundamento a vontade de um deus caprichoso.

Em Mateus 7.13-14, Jesus ensina que a porta de entrada do reino dos céus e o caminho que leva à salvação haviam se tornado, na ética do judaísmo farisaico, mais estreitos do que jamais foram. O evangelho nos faz observar os pés de barro das normas culturais. O cristão autêntico é um escândalo e a igreja deveria estar na vanguarda dos avanços éticos.

De certo modo, toda igreja deveria ser progressista, no sentido de confrontar sempre a cultura, ajudando os homens a deixar de coar um mosquito e engolir um camelo. Um cristão conservador não cabe na mensagem de Cristo. Quem

CRISTO E A TRADIÇÃO RELIGIOSA SOCIALMENTE CONSTRUÍDA | 83

é o cristão? Alguém progressista quando o amor exige que ele faça a ética avançar e conservador quando o amor exige que a ética não negocie o que é basilar para a preservação da dignidade humana. O cristão, portanto, não pode ser nem progressista, nem conservador: ele é alguém que ama com o amor cujas consequências práticas são reveladas, momento a momento, pelo próprio evangelho.[14]

Fico feliz por encontrar na Bíblia um posicionamento como o de Cristo ao responder ao questionamento: "Por que não andam os teus discípulos de conformidade com a tradição dos anciãos?". O Senhor Jesus respondeu (e eu parafraseio): "Porque o evangelho fez com que eles não coubessem dentro da tradição do judaísmo farisaico que vocês ensinam. Porque o evangelho os fez se preocuparem tão somente com o que de mais importante existe. Porque o evangelho conduz o homem a se reconciliar com Deus mediante arrependimento e fé somente. Porque o evangelho ensina que a salvação é gratuita. Porque o evangelho faz as práticas religiosas passarem pelo escrutínio da lei do amor. Porque o evangelho não tolera camisa de força. Porque o evangelho quer o homem livre". O bispo inglês J. C. Ryle escreveu: "Se abandonarmos o caminho da verdade do Rei, terminaremos lavando copos e jarras, à semelhança dos escribas e fariseus".[15]

Provocação a Deus

A partir do versículo 6, Cristo começa a falar: "Respondeu-lhes: Bem profetizou Isaías a respeito de vós, hipócritas, como está escrito: Este povo honra-me com os lábios, mas o seu coração está longe de mim. E em vão me adoram, ensinando doutrinas que são preceitos de homens".

Os escribas e fariseus conseguiram provocar Jesus, e esse Jesus indignado faz aumentar nossa estima por ele e o encanto pela sua mensagem. Isso porque, nessas horas, vemos seu nível de compromisso com a defesa da liberdade cristã. Estamos aqui diante do pastor que zela pelo bem-estar das suas ovelhas.

O teor da conversa de Cristo também revela quanto o funcionamento da instituição religiosa pode representar verdadeira provocação a Deus. Não vemos Cristo se dirigir de modo tão cortante a mais ninguém. Fica aqui um lembrete: Que todos os pregadores busquem se certificar que não estão pedindo dos homens o que Deus jamais exigiu. Deus julgará pregadores que levaram homens e mulheres a andar envergados pelo fardo que fizeram recair sobre seus ombros.

Podemos falar de modo mais positivo: Estão ao lado de Cristo todos os pregadores que ousaram ficar com o evangelho e o evangelho somente, e que, por isso, baniram da vida cristã tanto o que a Palavra de Deus proíbe quanto o que ela não prescreve. Não é tarefa fácil. Sempre haverá alguém dizendo que as coisas não podem ser tão fáceis assim.

Como declara o apóstolo Paulo, numa passagem reveladora da harmonia que havia entre sua mensagem e a de Cristo:

> Ora, o Espírito afirma expressamente que, nos últimos tempos, alguns apostatarão da fé, por obedecerem a espíritos enganadores e ensinos de demônios, pela hipocrisia dos que falam mentiras e que têm cauterizada a própria consciência, que proíbem o casamento e exigem abstinência de alimentos que Deus criou para serem recebidos com ações de graças pelos fiéis, e por quantos conhecem plenamente a verdade;

CRISTO E A TRADIÇÃO RELIGIOSA SOCIALMENTE CONSTRUÍDA | **85**

pois tudo o que Deus criou é bom, e, recebido com ações de graças, nada é recusável, porque, pela Palavra de Deus e pela oração, é santificado.

1Timóteo 4.1-6

Houve quem falasse antes de Cristo sobre os descaminhos da religião. Sempre haverá. "Bem profetizou Isaías", disse o Senhor. O púlpito não é lugar para quem não prega como homem e que, em razão do teor acovardado, delicado, piegas e afetado de sua pregação, não apenas deixa de despertar os que estão mortos dentro dos templos, como também acaba atraindo para o seio da igreja as pessoas mais apáticas da sociedade. A igreja deve receber os fracos e os fortes, os fleumáticos e os sanguíneos, os de espírito revolucionário e os mais propensos a reformas graduais da sociedade.

O problema é quando a mensagem de um pregador se adapta tão somente ao tipo de personalidade que, por natureza, é indiferente aos dramas humanos e pouco disposta à luta. Temo que essa seja a razão de termos tanta gente irresoluta, mole e indolente em nossas igrejas, que não se toca nem se comove com a miséria, o abuso de poder e a indiferença do poder público para com a causa dos socialmente excluídos. Os homens e mulheres de espírito mais enérgico não conseguem se ver dentro de ambientes tão desprovidos de perturbação e inconformismo.

Sem profecia o povo se corrompe. Precisamos da Palavra de Deus, e dela aplicada às questões do momento, apta a nos ajudar a ler os jornais, discernir a cultura, identificar pecados coletivos, denunciar a iniquidade legitimada pela lei e mostrar que grande parte da igreja deixou de ser Igreja e se transformou em sinagoga de Satanás. Esse é o ministério profético, capaz de identificar e tornar claro para todos o que ninguém enxerga.

É possível, portanto, um homem ser levantado pelo Espírito Santo para anunciar com alto nível de fidelidade a Palavra de Deus. Esse foi o caso de Isaías. Em geral, homens como ele são odiados pelos de sua própria geração.

"Este povo honra-me com os lábios, mas o seu coração está longe de mim", disse o Senhor Jesus. Cantar alto e forte, ser ortodoxo, escrever tratados de teologia, orar, jejuar, decorar versículos da Bíblia, levantar as mãos ou cair de joelhos são atitudes que não sinalizam necessariamente a presença da graça regeneradora na vida de uma pessoa. A Bíblia mostra indivíduos não regenerados manifestando dons espirituais. Vemos demônios crendo, orando, citando passagens das Escrituras e tremendo ante a presença de Cristo. Não podemos nos dar por satisfeitos por termos alcançado o nível espiritual dos demônios.

Como escreveu o teólogo americano Jonathan Edwards:

As pessoas estarem predispostas a transbordar de zelo no envolvimento com as práticas exteriores da religião e a investir muito tempo nelas não é evidência segura da presença da graça, pois essa disposição é encontrada em muita gente desprovida de graça. [...] a falsa religião pode levar as pessoas a serem barulhentas e fervorosas na oração. [...] elas podem demonstrar prazer em ouvir a pregação da palavra de Deus.[16]

Preceitos de homens

Observe que Cristo menciona um povo: "Este povo...". Isso demonstra que várias pessoas eram enganadas ao mesmo tempo. Detectar o pecado torna-se quase impossível para alguém que vive em um meio em que a prática pecaminosa vira cultura pecaminosa, isto é, quando milhares embarcam em loucura e desobediência coletivas.

CRISTO E A TRADIÇÃO RELIGIOSA SOCIALMENTE CONSTRUÍDA | **87**

Nos momentos em que isso ocorre, observa-se, na história da Igreja, Deus levantar profetas cujas mensagens operavam como relâmpago em plena luz do dia, capaz de a todos alarmar. Nem sempre, entretanto, esses homens sobreviveram à perseguição promovida pela própria igreja.

Em que consistia o engano que Isaías e Cristo denunciaram? Em julgar que o culto proferido pelos lábios é capaz de satisfazer a Deus. Quando o coração é atingido pelo poder da graça salvadora, a profissão verbal de fé torna-se inevitável. Porém, nem sempre a profissão verbal de fé brota do coração que tornou Deus o supremo bem da vida. Diante disso, Cristo declara que a morada da verdadeira espiritualidade é o coração: a cidadela da alma, o local onde se originam nossas decisões, a raiz das nossas avaliações racionais, a sede das afeições santas.

A leitura das Escrituras requer afinidade de alma com o seu conteúdo. Interpreta-se com a mente, mas é com o coração que se fazem a interpretação correta e a aplicação exata e que se experimenta a doçura do conhecimento da verdade. Os escribas e fariseus preocupavam-se mais com a tradição do que com a felicidade dos homens e a glória de Deus porque seus corações não haviam passado pela experiência de conversão.

É impossível ser um verdadeiro teólogo, intérprete das Escrituras e crente apenas com o cérebro. Que sejamos criteriosos no processo de recepção de novos membros em nossas igrejas. Será que ele não se tornou rápido, desleixado e irresponsável? Pensando na nossa condição espiritual: nossos lábios declaram o que no recôndito sabemos ser verdade sobre nossa vida? Nosso modo de viver é tão belo quanto os cânticos que entoamos? Honramos a Deus não apenas com os lábios, mas também com o coração? Quem se relaciona conosco pode afirmá-lo? O que seu cônjuge, os companheiros de trabalho e os irmãos na fé têm a dizer sobre a relação entre o que você fala e a forma como vive?

O Senhor Jesus prosseguiu: "E em vão me adoram, ensinando doutrina que são preceitos de homens". Isso mostra que igrejas são capazes de produzir espetáculos litúrgicos que encantam os olhos e os ouvidos, mas são incapazes de comunicar a verdade que ilumina a mente e queima o coração. Emocionam, mas não põem o homem face a face com Deus. Entretêm, mas não causam espanto. Lotam grandes auditórios, mas não formam santos. São nuvens sem água.

Se "preceitos de homens" são ensinados despudoradamente, num ambiente de curiosa soberba, uma vez que as pessoas se orgulham de serem teologicamente ignorantes, a que Deus essa igreja adora? O que Isaías profetizou no seu tempo — e que o Senhor Jesus viu como perfeitamente aplicável aos seus dias — foi a associação entre culto solene e inverdade, feita por homens que proferem palavras elogiosas para Deus, mas atribuem a Deus palavras que jamais saíram da boca de Deus.

Temos de pensar na possibilidade de estarmos equivocados. Conhecemos as Escrituras? Temos bons comentários bíblicos, que nos ajudam na sua interpretação? Estamos preocupados com a exegese do texto? Nossa hermenêutica é sadia? Somos precisos na aplicação que flui necessária e naturalmente da verdade do evangelho? Tivemos acesso à teologia daqueles que divergem de nós? Fizemos o contraponto com honestidade intelectual? Revisamos o que precisou ser corrigido? O que sabemos sobre os dois mil anos de história do desenvolvimento do pensamento cristão? Ouvimos outros pregadores? Somos bons leitores?

CRISTO E A TRADIÇÃO RELIGIOSA SOCIALMENTE CONSTRUÍDA | 89

Oramos antes de preparar os sermões? Preparamos sermões? Temos certeza de que não introduzimos material alheio nas Escrituras? Somos cônscios dos condicionamentos culturais aos quais estamos expostos? Já paramos para pensar no fato de que Cristo não fechou com nenhum movimento religioso do seu tempo?

Idolatria não significa apenas adorar deuses falsos, mas, também, adorar ao Deus verdadeiro de modo oposto ao que ele quer ser adorado. O momento de adoração pode ser impecável e impressionante — com mãos levantadas, muito dinheiro investido em aparelhagem de som, músicos profissionais cobrando fortunas para cantar, telões magníficos, iluminação variando de acordo com o momento da liturgia, diáconos com crachás de identificação, recepcionistas sorridentes —, mas vazio de conteúdo.

Pode-se fazer muito investimento em tecnologia, mas nenhum investimento no preparo intelectual dos que ensinam. Pode-se ter grande capacidade de avaliar o nível de qualidade da adoração, mas nenhuma capacidade de avaliar o nível de qualidade da pregação. Pastores e ministros do louvor podem estar batendo uma pedra na outra a fim de produzir espetáculos cheios de luz e calor, mas alheios ao fogo de Elias, que desce do céu pela oração do profeta, batizando, selando e iluminando. Em suma, pode haver muita produção humana, nenhuma transcendência; muita música, nenhuma profecia; muito suor, nenhum coração encharcado da graça; muitos gritos de vitória, nenhum gemido de arrependimento. Termina o culto e todos voltam para casa impressionados com o grande espetáculo de que participaram, mas não habilitados a oferecer ao mundo o espetáculo de vidas santas, cuja beleza é expressa por meio das obras de misericórdia.

Poucos elementos da vida da igreja são tão capazes de ocultar suas enfermidades morais e espirituais quanto a pompa da sua liturgia. É difícil acreditar — e podemos até mesmo temer pensar nisso — que tantas pessoas reunidas em torno de espetáculo tão impressionante estejam equivocadas. Porém, nem tudo é inverdade nessa igreja: as mentiras presentes no que é ensinado são suficientemente sérias a ponto de desqualificar seu testemunho e afastá-la dos ideais de Deus para a vida do seu povo. Percebe-se, permita-me enfatizar novamente, muita preocupação quanto à qualidade do momento de adoração, mas quase nenhuma preocupação quanto ao preparo do pregador. Gasta-se muito dinheiro com montagem de aparelhagem de som, mas nada com montagem da biblioteca do pastor. Nessa igreja, o pastor deixa de ser arauto da verdade para desempenhar o papel de apresentador de espetáculo religioso. A falta de conhecimento da verdade nessa igreja é tamanha que os membros não percebem a cooptação ideológica, a subserviência cultural, a reprodução em formato religioso dos valores anticristãos presentes na sociedade.

"Preceitos de homens" pode significar interpretação humana aberta ao debate fraterno elevada à condição de verdade. Esses preceitos humanos podem arruinar a identidade da igreja, quando envolvem as doutrinas e os valores essenciais da fé cristã, e até mesmo em assuntos considerados periféricos podem causar estragos imensos.

Por essa razão, é importante ressaltar que a igreja capaz de fomentar a liberdade intelectual em questões secundárias preserva sua unidade, enriquece sua comunhão e torna mais belo seu testemunho perante o mundo. Assim, uma igreja que se rotula como sendo de direita, de esquerda, conservadora, progressista, revolucionária ou reformista é um

CRISTO E A TRADIÇÃO RELIGIOSA SOCIALMENTE CONSTRUÍDA | **91**

golpe no ideal divino de preservação da unidade em torno do nome de Cristo, em meio às diferenças de opinião sobre o que não se constitui fundamento da fé.

Nesse sentido, o filósofo e economista britânico John Stuart Mill apresenta verdades sobre a democracia intelectual que são perfeitamente aplicáveis ao mundo da teologia:

> Todo silêncio que se impõe à discussão equivale à presunção de infalibilidade. [...] Infelizmente para o bom senso dos homens, ocorre que sua falibilidade está longe de exercer sobre seu juízo prático a influência que sempre se lhe permite na teoria, pois, embora cada um se saiba perfeitamente falível, poucos julgam necessário tomar precauções contra sua própria falibilidade, ou admitir a suposição de que uma opinião qualquer, da qual se sentem muito seguros, possa ser um dos exemplos de erro a que reconheçam estar sujeitos. [...] Em proporção à falta de confiança em seu próprio julgamento solitário, um homem sempre se baseia, com implícita confiança, na infalibilidade do "mundo" em geral. E o mundo, para cada indivíduo, significa a parte deste com a qual entra em contato: seu partido, sua seita, sua igreja, sua classe social.[17]

Considero esta advertência de Mill uma das mais importantes do ponto de vista do debate público: "Nas grandes preocupações práticas da vida, a verdade é tanto mais uma questão de reconciliar e combinar opostos, que apenas pouquíssimos possuem espírito suficientemente amplo e imparcial para fazer o ajuste próximo da correção".[18]

Na passagem bíblica que estamos examinando, é evidente que o conceito "preceitos de homens" tem o sentido de verdade corrompida. No seu comentário sobre essa porção das Escrituras, William Hendriksen detalha o que significava para o povo de Israel ouvir a pregação dos escribas e fariseus:

Os rabis haviam dividido a Lei Mosaica, ou Torá, em 613 decretos separados, 365 dos quais eram considerados proibições e 248, instruções positivas. Logo, em conexão com cada decreto, fazendo distinções arbitrárias entre o que consideravam "permitido" e "não permitido", haviam intentado regular cada detalhe da conduta dos judeus: seus dias de repouso, viagens, comidas, jejuns, abluções, comércio, relacionamento com os de fora etc.[19]

Ao examinar muito do que é ensinado pela igreja, é possível traçarmos a genealogia do falso ensino, chegando a personalidades do passado, contextos culturais e movimentos que cometeram o erro de tornar um aspecto da verdade como se fosse a verdade completa. Portanto, você examina a coisa e chega à conclusão que o que está sendo dito é desprovido de fundamento racional e escriturístico. Mais grave ainda, nota que aquilo que está sendo ensinado negocia o que é inegociável.

Qual é a raiz dos "preceitos de homens"? O que induz igrejas inteiras ao erro? Que tipo de motivação pode corromper a hermenêutica? As respostas podem ser encontradas nos versículos 8 e 9: ". Negligenciando o mandamento de Deus, guardais a tradição dos homens. E [Jesus] disse-lhes ainda: Jeitosamente rejeitais o preceito de Deus para guardardes a vossa própria tradição". É realmente difícil superestimar o valor dessas questões. Quando penso no seu produto final, tenho vontade de cair de joelhos e orar.

"Negligenciando o mandamento de Deus" significa, na prática, que o contato com a religião pode tornar a pessoa pior. Jesus nos ensina que podemos fazer parte de cultura religiosa que nos ajuda a encontrar uma forma de sermos infiéis sem desconforto de consciência. A história das instituições religiosas que se dizem cristãs apresenta vários

CRISTO E A TRADIÇÃO RELIGIOSA SOCIALMENTE CONSTRUÍDA | **93**

exemplos de mecanismos de compensação, com homens e mulheres dedicados ao que é menos custoso, inventado pela religião, a fim de se eximir do compromisso com o que é mais custoso, porém fruto da revelação divina.

Essa cultura religiosa pode assumir a forma de legalismo desumanizante e adoecedor. Pode, também, de modo oposto, assumir a forma de hábeis manobras empobrecedoras da real experiência cristã, que garantem o ganho auferido pelo preço que se quer pagar, em detrimento do preço que se deve pagar. Não são uniformes as consequências da tentativa de se relacionar com Deus sem a mediação do evangelho, que podem nos levar para extremos opostos, tornando-nos liberais ou conservadores. Para o diabo, não importa que tipo de experiência religiosa o escravize, emburreça ou desumanize, desde que ela o mantenha afastado de Deus.

Sendo assim, o que encontraremos em cada fase da história na qual a igreja se deixou corromper? Podemos fazer a análise que for. Podemos fazer leituras que utilizem o instrumental interpretativo da antropologia, da sociologia ou da psicanálise. O que, entretanto, encontraremos, em todos os casos, é a tentativa de os seres humanos não se submeterem a Deus sem que isso ao mesmo tempo os faça temer o inferno. Forma-se e perpetua-se, assim, uma tradição que cumpre o exato papel de apaziguar consciências mediante a prática de tolices que são bem menos custosas do que a prática das exigências do amor.

Mencionando novamente Peter L. Berger, anos atrás li, com perplexidade, esta crítica que ele fez ao modelo de espiritualidade do sul dos Estados Unidos:

> Ora, a limitação do conceito de ética cristã a delitos pessoais tem funções óbvias numa sociedade cujas organizações sociais fundamentais são dúbias, para se dizer o mínimo, quan-

do confrontadas com certos princípios do Novo Testamento e com o credo igualitário da nação que nele acredita ter suas raízes. O conceito privado de moralidade do fundamentalismo protestante concentra atenção nas áreas de conduta que são irrelevantes para a manutenção do sistema social, e desvia a atenção daquelas áreas onde uma inspeção ética criaria tensões para o perfeito funcionamento do sistema.

Em outras palavras, o fundamentalismo protestante é ideologicamente funcional para a manutenção do sistema social do sul dos Estados Unidos. Não é necessário irmos até o ponto em que ele legitima diretamente o sistema, como nos casos em que a segregação racial é proclamada como uma ordem natural ditada por Deus. No entanto, mesmo na ausência de tal legitimação "manifesta", as convicções religiosas em questão funcionam "latentemente" para manter o sistema.[20]

Habilidade para pecar

A tradição dos homens milita contra os mandamentos de Deus. Somos chamados por Cristo para descontaminar nossa ética, nossa hermenêutica, nossa definição de missão e o nosso culto da cultura religiosa dentro da qual estamos inseridos. Soberba e ingenuidade são as principais explicações para jugarmos que essa tarefa não diz respeito à vida de cada crente. Vale a pena trazermos à memória a advertência de Martyn Lloyd-Jones:

> Somos todos propensos a ser criaturas dos nossos tempos, e muito do nosso pensamento é condicionado pela era na qual vivemos. É certamente claro que isso é uma verdade quanto aos Reformadores. Também quanto aos puritanos. Portanto, devemos ter muito cuidado para não seguir servilmente tudo o que foi ensinado no passado. Somos responsáveis diante de Deus, como os Reformadores o foram, e como o foram

CRISTO E A TRADIÇÃO RELIGIOSA SOCIALMENTE CONSTRUÍDA | **95**

os puritanos, e é nossa tarefa interpretar as Escrituras tanto quanto foi dever deles fazê-lo.[21]

A hipocrisia religiosa sempre se demonstrou hábil em ocultar suas reais motivações, como Jesus deixou claro: "E disse-lhes ainda: Jeitosamente rejeitas o preceito de Deus para guardardes a vossa própria tradição". Fala-se sobre o jeitinho brasileiro. Dever-se-ia falar sobre o *jeitinho religioso*. Ele está presente em muitos comportamentos dos membros das mais diferentes igrejas do país.

Por exemplo: chamar de ira profética o que é pura estupidez; demonstrar preocupação com o estado espiritual da mãe em vez de levá-la ao médico para cuidar do seu reumatismo; falar sobre as causas político-econômicas da pobreza, a fim de não praticar a misericórdia na vida daquele que não tem mais tempo para esperar nem o choque de capitalismo nem a revolução do proletariado; somente cantar no coral, em vez de subir o morro para conhecer a causa do pobre;[22] sair para abrir igrejas por, na verdade, não querer se submeter a ninguém; dizer que o dízimo é prática da antiga aliança a fim de não ajudar financeiramente a igreja; pagar mal os funcionários para que a empresa não abra falência; tolerar os pecados dos ricos para que a igreja não quebre; tornar-se pregador itinerante em vez de edificar o lar em crise; ameaçar com demissão o pastor fiel, acusando-o de moralista a fim de que ele cesse de pregar sobre o Deus real; usar a oração intercessória como justificativa para a maledicência; chamar de amor o que é egoísmo que usa o corpo do próximo; falar de promessas de prosperidade que somente servem para justificar a riqueza do pastor perante a miséria dos que o sustentam; usar o preceito da submissão à autoridade como justificativa para a tirania; banir desafetos da comunhão da igreja em nome da preservação da unidade do corpo; ter um discurso na academia e outro na igreja, a fim de não escandalizar os irmãos com as verdades que eles não estão preparados para ouvir; manter-se ligado a instituições de ensino das quais diverge radicalmente mas que pagam seu salário, em nome da luta pela sua reforma; considerar prudência o que é covardia; considerar sinceridade o que é falta de tato; reputar como estratégia evangelística o que é manipulação psicológica; fazer terapia para se isentar de responsabilidade pessoal; usar todo o rigor da responsabilidade pessoal de cada ser humano para imputar exclusivamente aos pobres a responsabilidade pela sua miséria; fundamentar na doutrina da predestinação a falta de zelo evangelístico; não investir na obra missionária a fim de que não faltem recursos na igreja sede.

Cristo apresentou um exemplo concreto dessa habilidade de burlar os mandamentos de Deus, extraído da prática dos seus dias: "Pois Moisés disse: Honra a teu pai e a tua mãe; e: Quem maldisser a seu pai ou a sua mãe seja punido de morte". Nada mais evidente ao senso comum, ao direito natural e à revelação do que o dever de amar aqueles a quem devemos muito, aos quais somos propensos pela própria natureza a amar e com os quais mantemos a relação mais íntima. Por isso, honrar pai e mãe. Mesmo a palavra proferida contra eles deveria ser objeto de repúdio. Moisés havia determinado a pena capital para esse tipo de pecado, que representa o colapso do nível mais elementar de amor. Falhar aqui significa revelar distorção de caráter, e cometer pecado condenado pelas mais diferentes culturas. É uma norma sustentada por acordo tácito, que não precisa de defesa, nem de lei. Há milhões de não cristãos

CRISTO E A TRADIÇÃO RELIGIOSA SOCIALMENTE CONSTRUÍDA | **97**

que temem muito mais pecar contra pai e mãe do que pecar contra o Estado.

Podemos encontrar padrões morais supreendentemente diversificados nas mais diferentes partes do mundo. Mas, há alguns cujos princípios e consequências práticas são universais. Amar pai e mãe é algo que não carece nem mesmo de argumentação. Aqui, somos remetidos à dimensão moral do universo: todos nos comportamos como se houvesse uma lei superior à qual devêssemos nos submeter, tanto por temor quanto por amor.

Em apologética, essa linha de raciocínio é usada para defender a existência de um Criador pessoal. Aqui temos mais do que matéria-prima para fazermos apologética. É assustador o que Cristo declara. Não há apologética que se sustente caso a igreja não ouça a advertência de Jesus. Ele declara que a religião tem o poder de matar a afeição natural, fazendo com que deixemos de nos comportar como seres humanos. Houve ocasiões na história de Israel que os que se consideravam "povo de Deus" tiveram comportamentos não encontrados nem mesmo entre os pagãos. Não há dúvida de que há potestades do mal especializadas em instituições religiosas!

Jesus prosseguiu:

> Vós, porém, dizeis: Se um homem disser a seu pai ou a sua mãe: Aquilo que poderias aproveitar de mim é Corbã, isto é, oferta para o Senhor, então, o dispensais de fazer qualquer coisa em favor de seu pai ou de sua mãe, invalidando a palavra de Deus pela vossa própria tradição, que vós mesmos transmitistes; e fazeis muitas outras coisas semelhantes.

Aqui vemos "vós" *versus* "vontade de Deus universalmente revelada". É a instituição religiosa contra Deus e o mundo! Jesus apresenta um exemplo da habilidade de pecar sem remorso. Lá está um homem na presença da sua mãe viúva: ele tem em mãos o que aliviaria o fardo dela, contudo, esse homem tem outras prioridades. Permita-me fazer uma digressão. Poucas declarações de amor são críveis na ausência da misericórdia que se materializa por meio da generosidade financeira. O apego ao dinheiro nos enlouquece. Daríamos tudo para não o envolver com o amor. Para manter o dinheiro consigo ou usá-lo de forma mais conveniente do que ajudar pai e mãe, esse filho frequentador do templo e da sinagoga vira-se para os pais e diz que o dinheiro que poderia doar-lhes havia sido consagrado a Deus e, por essa razão, não mais pertenceria a ele, estando à disposição de alguém que está acima dos seres humanos. Porém, para Cristo, esse alguém pede que o uso desse mesmo dinheiro siga a prioridade do amor — justamente porque ele está acima de nós.

Hendriksen escreveu:

> Se um filho tinha algo de que seus pais necessitassem, o filho somente tinha de dizer "é Corbã!". Para seus leitores não judeus, Marcos acrescenta o equivalente grego *doron*, dom ou oferenda; ou seja, um dom ou oferenda sagrado, algo separado para Deus, isto é, para usos sagrados. Ao fazer essa declaração ou exclamação e dar-lhe uma ampla aplicação — "qualquer coisa com que pudesse beneficiá-lo" —, esse filho, de acordo com o ensinamento farisaico baseado na tradição, se havia desligado da obrigação de honrar a seus pais.[23]

A liderança religiosa judaica, ao ser procurada por quem acusava esse filho de negar ajuda a pai e mãe, validava sua atitude declarando que não lhe restava alternativa senão cumprir o seu voto. Cristo desabafa (e eu parafraseio): "Isso é o fim! A religião de vocês conseguiu reduzi-los

CRISTO E A TRADIÇÃO RELIGIOSA SOCIALMENTE CONSTRUÍDA | **99**

a seres inanimados. Ela os transformou na mulher de Ló. Ela os privou de sentimentos presentes até mesmo entre os pagãos". Sim, podemos ter igrejas de androides. Temo pela teologia que faz as lágrimas secarem.

Penso nessas horas nos despossuídos. Como a Bíblia fala sobre o pobre! Contudo, teorias econômicas, ideologias políticas e o egoísmo fizeram que pessoas "invalidassem a palavra de Deus". É claro que tudo isso é conveniente! Há igrejas que esperam que o capitalismo resolva o problema da miséria no mundo e que a mão invisível do mercado substitua a mão visível de uma igreja engajada.

Por outro lado, também é muito conveniente atribuir a desigualdade social exclusivamente aos males do capitalismo. Como se não bastasse a irresponsabilidade de não dizer quem vai pagar a conta, usa-se como desculpa para a inatividade a expectativa do supostamente inevitável colapso do modelo capitalista seguido por gloriosa revolução. Assim, por esse pensamento, aguardo o colapso dos modelos de exploração, mas não faço absolutamente nada pela comunidade de explorados situada ao lado da minha igreja.

Imputar ao pobre a responsabilidade pela sua pobreza, construir uma ética que somente se dispõe a socorrer quem chegou no fundo do poço e circunscrever o exercício da compaixão à comunidade da fé também são formas habilidosas de nos eximirmos de fazer pelo próximo o que gostaríamos que fosse feito por nós se estivéssemos no seu lugar.

"Invalidando" — que palavra! Ou seja, a igreja torna-se impermeável à verdade revelada por Deus. A tradição tudo filtra.

É evidente que amar pai e mãe antecede amar os campos missionários. Se não houver coerência nesse ponto, estamos nos desqualificando para as atividades da própria igreja, pois somente um ingênuo para acreditar que, se não cuidamos de pai e mãe, estamos aptos a amar o povo de Deus.

Aqui fica também uma palavra de advertência aos que falam tanto sobre justiça social, mas se revelam incapazes de praticar o amor com aqueles que lhe são próximos. "Ora, se alguém não tem cuidado dos seus e especialmente dos da própria casa, tem negado a fé e é pior do que o descrente" (1Tm 5.8), declara o apóstolo Paulo. Esse princípio deveria nos guiar na escolha de candidatos a cargos públicos e ministérios da igreja.

A lista de iniquidades sancionadas pela religião não se esgota: "e fazeis muitas outras coisas semelhantes". Repito: há agentes das trevas que todos os dias trabalham para que igrejas sirvam como sucursais do inferno. "Que vós mesmos transmitistes": há toda uma geração de pregadores, com a Bíblia nas mãos, afastando os homens do Deus que a Bíblia revela. Se algo é transmitido é porque há quem ouça. E há quem ouça porque a pregação religiosa pode servir aos caprichos humanos.

Jeremias afirmou: "Coisa espantosa e horrenda se anda fazendo na terra: os profetas profetizam falsamente, e os sacerdotes dominam de mãos dadas com eles; e é o que deseja o meu povo. Porém, que fareis quando estas coisas chegarem ao seu fim?" (Jr 5.30-31). Há pregadores que, dos púlpitos de sua igreja, ministram calmantes religiosos aos que os ouvem e estão dispostos a pagar por isso. Quem os escuta, declara: "Era tudo o que queria ouvir! Desfez-se o motivo de sair da igreja!".

A igreja deveria fugir a todo custo da grosseria que ofende, evitando, em amor, o preconceito que repele. A pregação pode atender às expectativas de crentes belicosos

CRISTO E A TRADIÇÃO RELIGIOSA SOCIALMENTE CONSTRUÍDA | **101**

e causar prazer pecaminoso em preconceituosos. Há pastores e líderes que, sabendo disso, usam da incivilidade para atrair a atenção: atacam pessoalmente outros ministros e dão início a debates acalorados, por saber que pessoas param para assistir ao duelo, assim como param para assistir a uma briga de cachorros.

Temos hoje, no Brasil, igrejas inteiras incapazes de ouvir a voz de Deus por conta desse tipo de pecado. Estamos cercados por uma geração de contenciosos. Como a ignorância é ousada, falam livremente sobre o que faz os cristãos mais maduros temerem emitir opinião precipitada, injusta, mal informada, preconceituosa ou que cause embraço para alguém a quem deseja ver se aproximar do evangelho.

Há gente pronta para chamar de comunista, liberal, conservador, esquerdista, capitalista, relativista, feminista ou sei-lá-mais-o-quê quem está apenas expondo as Escrituras. Como pregar as Escrituras e não ver seus princípios, normas e valores tangenciarem num ponto ou outro os valores desses movimentos e sistemas de pensamento? Aliás, será que algum deles ensina somente inverdades, do início ao fim? Outro ponto: como alcançar essa gente para Cristo?

Lembro-me de Martyn Lloyd-Jones condenando a atitude de cristãos que chamavam o cristianismo de anticomunismo:

> A fé cristã não consiste em anticomunismo, e confio que nenhum de nós mostrar-se-á tão tolo e ignorante a ponto de permitir que uma igreja, ou qualquer outro interesse, nos iluda e nos desvie de nossa verdadeira mensagem. Crentes que somos, deveríamos estar interessados pelas almas daqueles que abraçaram o comunismo, deveríamos estar interessados pela salvação deles exatamente da mesma maneira como nos interessamos a respeito de outras pessoas quaisquer. Mas, se ao menos por uma vez dermos impressão de que o cristianismo é

anticomunismo, então estaremos fechando portas e impondo barreiras, virtualmente impedindo que os comunistas ouçam nossa mensagem de salvação evangélica.[24]

No seu comentário sobre a Primeira Epístola a Timóteo, John Stott revela preocupação em manter uma tradução fiel das Sagradas Escrituras que não deixe de expressar o ponto de vista ético sobre a homoafetividade, mas que não seja desnecessariamente ofensiva aos homoafetivos: Ele escreveu: "Pervertido' (NIV, REB) não é a melhor tradução, nem 'sodomita' (NRSV), porque ambos os termos nos dias de hoje carregam pressuposições e tons que podem expressar a espécie de 'homofobia' que os cristãos deveriam evitar".[25]

A igreja não deve assumir a culpa pela pregação que causou escândalo quando a ofensa era inevitável. Mas jamais deveria permitir que pessoas passassem a odiar o evangelho por ouvi-la pregar de modo odioso. Buscar a palavra apropriada no ato de comunicar a verdade é arte que devemos dominar. O uso indiscriminado de terminologia de sentido mutável impede os homens de conhecerem a verdade imutável. Se queremos apresentar a verdade ao mundo, precisamos saber como vesti-la.

Coração e contaminação

Para termos ideia do que a corrupção da verdadeira religião representava para Cristo, é central que meditemos com atenção sobre os versículos 14 e 15: "Convocando ele [Jesus], de novo, a multidão, disse-lhes: Ouvi-me, todos, e entendei. Nada há fora do homem que, entrando nele, o possa contaminar, mas o que sai do homem é o que o contamina. Se alguém tem ouvidos para ouvir, ouça". Mais

CRISTO E A TRADIÇÃO RELIGIOSA SOCIALMENTE CONSTRUÍDA | **103**

uma vez, Cristo chama apaixonadamente a nossa atenção para a necessidade impreterível de pessoas se protegerem das organizações religiosas: ele deixa de lado os escribas e fariseus e convoca o povo a ouvi-lo.

Chamamos pessoas para dentro das igrejas. Eu o faço desde os meus 20 anos. Sempre julguei que, quando a igreja é o que deveria ser, provamos de um pedaço do céu na terra, por vivenciar uma série de situações, como ouvir uma pregação que faz sentido, ter a compreensão das Escrituras aprofundada na dinâmica da comunidade da fé, exercitar os dons espirituais, servir a sociedade, proclamar o reino de Cristo, amar e ser amado, ter interlocução com os companheiros de peregrinação espiritual.

Contudo, não há lugar santo neste planeta no qual não haja contrariedades e tentações. A vida dentro das instituições religiosas tem seduções que lhe são próprias. Igrejas podem criar a pior espécie de ser humano: o lobo em pele de ovelha, que carrega perversidade oculta pela capa da religião. As pessoas mais preocupadas com a preservação dos valores morais podem ser encontradas entre as mais perigosamente ingênuas, traiçoeiramente desumanas e sorrateiramente gananciosas. Por essa razão, o apelo de Cristo.

O que Jesus queria dizer? Pela graça divina, seus discípulos pediram que ele lhes explicasse: "Quando entrou em casa, deixando a multidão, os seus discípulos o interrogaram acerca da parábola". Apesar da lentidão em entender a mensagem de Cristo, os discípulos fizeram o que todos deveríamos fazer nas horas da dúvida: buscar a compreensão da verdade na presença de Cristo. É assim que se faz teologia.

Quem prepara um sermão, redige um artigo ou escreve um livro sem fazer pausas para adorar, clamar por iluminação ou confessar seu pecado, não está fazendo teologia. Teologia nasce do amor, aprofunda-se por meio da adoração e avança em meio ao espanto. Nenhum pregador tem o direito de expor publicamente dúvidas, dificuldades intelectuais e conflitos éticos enquanto não os tratou em secreto na presença de Cristo.

O texto prossegue: "Então, [Jesus] lhes disse: Assim vós também não entendeis? Não compreendeis que tudo o que de fora entra no homem não o pode contaminar, porque não lhe entra no coração, mas no ventre, e sai para lugar escuso? E, assim, considerou ele puros todos os alimentos". Aqui, Cristo expressa seu desejo de que a Igreja esteja apta a discernir a verdade. Sobre esses temas ela não pode ser infantil. É seu dever ter seus sentidos espirituais desenvolvidos, a fim de ser sal da terra e luz do mundo. Sempre será bom a Igreja ter em seu seio gente preparada para fazer ponte entre a teologia e as demais disciplinas do saber humano. Mas, acima de tudo, a Igreja deve ser boa de Bíblia, capaz de mostrar excelência intelectual, discernimento ético e capacidade de correlacionar a verdade revelada aos assuntos práticos da vida.

O que havia de tão elementar na mensagem de Cristo, e sobre o que seus discípulos deveriam ter demonstrado capacidade de discernimento? A resposta: existem modelos de espiritualidade que não colaboram para a santificação do coração; líderes religiosos são pródigos em manter pessoas entretidas com tolices que as mantêm longe dos assuntos mais importantes da vida. Mais que isso: há toda uma legislação religiosa que desperta escrúpulos desnecessários. Pessoas podem considerar a si mesmas impuras por motivos tolos, passando a enfrentar noites mal dormidas, perda da alegria da salvação ou horas gastas em psicoterapia

CRISTO E A TRADIÇÃO RELIGIOSA SOCIALMENTE CONSTRUÍDA | 105

pelo fato de julgar que Deus também se preocupa com a sandices que lhes foram ensinadas pela religião.

No caso específico que Cristo está tratando, tudo girava em torno da suposta contaminação espiritual por meio da não observância de rituais de purificação. Cristo não poderia ter sido mais direto (e eu parafraseio): "Essa gente está preocupada com o que vira fezes, o que entra pela boca, passa pelo esôfago, é digerido pelo estômago, vai parar no intestino e, enfim, é lançado na privada. Nesse trajeto, o coração não foi contaminado, o ser não sofreu alteração, a comunhão com Deus não foi rompida. Pura e abençoada digestão, e não pura e maldita contaminação".

Algo importante estava acontecendo naqueles dias. A ética avançava, a Igreja era chamada para o amadurecimento, o Antigo Testamento deveria ser estudado a partir de novo princípio hermenêutico. "E, assim, considerou ele puros todos os alimentos", afirma o evangelista. Há três espécies de lei no Antigo Testamento. Primeiro, as leis civis, que serviam como legislação da teocracia judaica. Segundo, as leis cerimoniais, que regulavam o culto e guardavam nos seus ritos elementos de uma didática que visava preparar os homens para a vinda do Messias. Terceiro, encontramos as leis morais, que revelavam a vontade moral de Deus para a vida do seu povo.

A primeira prescreveu com o fim da teocracia judaica e o advento do reino de Cristo. A segunda estava naqueles dias caindo em desuso a partir do que, como vimos, o próprio Cristo declarou. A terceira é perene e tornada mais profunda pelo evangelho. Saber fazer esse corte é essencial para que a Igreja viva a liberdade que Cristo promulgou com seu evangelho. Como escreveu Charles Hodge: "Todas aquelas leis no Velho Testamento que tinham base nas circunstâncias peculiares dos hebreus deixaram de ser obrigatórias quando se desvaneceu a antiga dispensação".[26]

O que nos cabe fazer? Não manter a mesma relação que o povo de Israel mantinha com o Antigo Testamento. Fato é que igrejas podem retornar ao modelo de espiritualidade do Antigo Testamento. Observe a diferença entre uma coisa e outra. O avanço é notável. Tudo no Novo Testamento é mais simples, mais espiritual e mais belo. Cristo descomplica a relação com Deus. Como escreveu Martyn Lloyd-Jones:

> Devemos enfatizar a superioridade da nova dispensação do pacto sobre a antiga dispensação do mesmo pacto. A antiga foi mediada através de servos, Abraão e Moisés, mas a nova tem sido mediada através do Filho de Deus. [...] A verdade na antiga dispensação estava em parte revelada e em parte oculta em tipos e sombras. Todavia, na nova dispensação, ela está claramente revelada na encarnação de Jesus Cristo, no que ele fez, ensinou e realizou, bem como na obra do Espírito Santo. [...] Sob a antiga dispensação, a revelação foi abundantemente carnal e material na forma, ao passo que agora ela é inteiramente espiritual [aqui, Lloyd-Jones cita Hebreus 9, que fala com clareza sobre a superioridade da nova dispensação] [...]. A antiga dispensação destinava-se a um só povo. Agora ela não é mais restringida; ela se destina a todas as nações em todos os lugares; ela se destina ao mundo. Sob esta nova economia, o Espírito Santo foi derramado. [...] O resultado é que a benção é maior no seu escopo no Novo Testamento. Há maior conhecimento, maior percepção e, portanto, maior desfruto dessas bênçãos. Abraão viu essas coisas apenas "de longe" e exultou (Jo 8.56). Nós não vemos de longe. Vemos na radiante luz do dia, e por isso nossa alegria é maior.[27]

Portanto, há testes que podemos aplicar à vida de uma igreja a fim de saber se ela está mais próxima do Antigo

CRISTO E A TRADIÇÃO RELIGIOSA SOCIALMENTE CONSTRUÍDA | **107**

Testamento que do Novo Testamento. Devemos perguntar: essa igreja sabe que Deus não tem dois povos, mas apenas um, composto por judeus e gentios reconciliados com Deus por meio de Cristo? Essa igreja percebe-se como católica, isto é, universal, não circunscrita a um único povo ou denominação? Sua liturgia é simples? Ela faz separação entre Igreja e Estado, entre esfera espiritual e esfera política? Suas ambições são mais transtemporais? É uma igreja mais focada na nova Jerusalém do que na terra da qual mana leite e mel? Quem ocupa o seu púlpito, Moisés ou Cristo? Ela já deixou de olhar para o monte Sinai a fim de contemplar o bebê Jesus mamando no seio de Maria?[28] Todo o cerimonialismo judaico foi substituído pelo batismo e pela ceia do Senhor?

O coração é central na religião de Cristo:

> E dizia: O que sai do homem, isso é o que o contamina. Porque de dentro, do coração dos homens, é que procedem os maus desígnios, a prostituição, os furtos, os homicídios, os adultérios, a avareza, as malícias, o dolo, a lascívia, a inveja, a blasfêmia, a soberba, a loucura. Ora, todos esses males vêm de dentro e contaminam o homem.

A ideia de contaminação é bíblica. Essa é a condição do homem pecador perante Deus. Ele é indigno de estar na presença do Criador santo em razão de ser quem é e, consequentemente, fazer o que faz. O que dele "sai" é fruto do que ele é por "dentro".

A antropologia bíblica tem como fundamento a dignidade e a pecaminosidade humanas. Há grandeza e há miséria no homem. O que havia de grandioso em sua vida o tornou miserável após a contaminação pelo pecado. Por ter sido criado à imagem de Deus ele poderia ter dado um curso não pecaminoso aos seus instintos. Afinal, tinha o Criador como referência e não animais irracionais. A humanidade poderia ter seguido o amor e não as paixões do coração. Sua iniquidade não pode se comparar aos atos de selvageria dos bichos. O que ele faz tem efeitos devastadores. Seu comportamento é consciente, responsável e capaz de causar grandes desgraças. Sua culpa é imensa.

É razoável que cobranças tão elevadas sejam feitas ao ego?[29] Se queremos, em nome de uma suposta preservação da sanidade psíquica dos seres humanos, evitar o peso de uma passagem como essa, temos dois caminhos a seguir: primeiro, diminuir o conceito bíblico sobre o valor da pessoa humana. Segundo, minimizar a gravidade do pecado. Tudo o que Cristo está dizendo parte de dois pressupostos. Ele lida com os homens como seres responsáveis e os leva a sério. Não se trata da conversa que temos com o nosso cachorro. Ele também demonstra horror pelo que fazemos uns com os outros e considera esses pecados atos de rebelião cósmica. Deus não pode ser indiferente a eles. Não queira se aproximar dele sem buscar purificação.

Quando fazemos uma afirmação no campo da filosofia, precisamos saber se ela tem aplicação prática, se é verdadeira, se descreve o mundo tal como ele é e se nos permite viver nele. Podemos levá-la até o fim? Ela passa pelo teste da vida? Em outras palavras, é possível manter a visão de mundo do filósofo que você está estudando quando sai do seu quarto, larga o livro que estava lendo e vai às ruas, vê estampado na banca de jornal a notícia de uma chacina na sua cidade, lê a manchete sobre o político que desviou milhões de verbas públicas destinadas a hospital, conversa com o jornaleiro, dá bom dia para o padeiro e cumprimenta o vizinho?

CRISTO E A TRADIÇÃO RELIGIOSA SOCIALMENTE CONSTRUÍDA | 109

Podemos perfeitamente ensinar que nosso comportamento é geneticamente programado, que a biologia é tudo, que o meio determina a volição, que o menino que um dia fomos nos guia pela mão até à sepultura e que não há nada que possamos fazer. O problema é: o que fazer com essa antropologia quando nos apaixonamos, nas horas em que nos vemos no seio de uma favela correndo risco de vida por termos abraçado uma causa que nos comoveu, no momento que temos dentro de casa o filho que voltou do CTI?

Não podemos falar sobre beleza, sentido e liberdade se a evolução cega nos transformou em autômatos que fazem o que fazem pelo simples interesse inconsciente de preservar a espécie. O cristianismo não faz isso conosco. Cristo nos trata com respeito.

É possível também dizer que os valores morais são ilusórios, que a ética é jogo de poder, que o domínio dos instintos causa graves danos à psique humana, que as injustiças sociais são a única causa das altas taxas de criminalidade. Como aplicar essa antropodiceia, isto é, essa justificativa dos comportamentos pecaminosos humanos, quando pensamos sobre a Segunda Guerra Mundial, o nazismo, a Guerra do Vietnã, a fome, a dilapidação dos recursos naturais, a matança de animais, o tráfico de órgãos humanos ou a exploração sexual infantil?

Sei que o argumento que acabei de usar é pesado, surrado e óbvio. Mas, como não insistir nele ao testemunharmos o mesmo professor universitário que ensinou o relativismo ético dentro de sala de aula participar de um programa de televisão a fim de condenar a militarização da polícia?

O cristianismo sustenta duas verdades aterradoras, capazes de levar os seres humanos à agonia de consciência. Mas são justamente as únicas que oferecem fundamento para o que há de bom nos ideais da modernidade, a jurisprudência e a defesa dos direitos humanos: a vida humana tem valor. O pecado tem valor. Os seres humanos são preciosos. O pecado tem preço. Destruir o homem é mal. Combater o pecado é bom.

O caminho da purificação

Não há como relativizar a lista de atos e sentimentos pecaminosos apresentada por Cristo. "Maus desígnios": dialogar consigo mesmo a fim de planejar o mal. "Prostituição": usar sexualmente alguém em desconsideração à sua dignidade. "Furtos": apropriar-se do que por direito não lhe pertence. "Homicídios": matar a obra-prima de Deus. Eleve ao infinito o crime contra uma obra de arte e você terá ideia do que significa aos olhos de Deus matar um ser humano (como ir ao Museu Metropolitano de Nova York e passar a faca num quadro de Monet). "Adultério": levar para a cama alguém que tem aliança de amor com outro. "Avareza": amar o dinheiro mais que ao despossuído. "Malícia": desejar o mal. "Dolo": enganar e prejudicar pessoas. "Lascívia": mimar desejos que desconsideram a santidade da vida do próximo; falta de domínio próprio em relação a impulsos perversos. "Inveja": entristecer-se por ver alguém obter o que você não tem. "Blasfêmia": ir às redes sociais e divulgar o deslize de alguém, arruinando sua imagem pública e roubando o seu nome. "Soberba": perder de vista o fato de que amanhã você pode invejar a saúde do porteiro do prédio onde mora e que você não está em condição de tirar onda com ninguém; que você não tem o direito de exigir que todos o reverenciem, uma vez que não é a referência maior do que é belo, justo e

CRISTO E A TRADIÇÃO RELIGIOSA SOCIALMENTE CONSTRUÍDA | **111**

santo; que o orgulho, portanto, é perda do contato com a realidade. "Loucura": praticar o supramencionado e ainda querer o amor dos homens e de Deus.

Jesus prossegue: "Ora, todos esses males vêm de dentro e contaminam o homem". Temos, portanto, um ser que não pode manter comunhão com Deus devido à sua corrupção. A santidade divina impede o silêncio divino. Deus tem de falar. A natureza, os sofrimentos humanos, o colapso da vida em sociedade, as guerras, os conflitos entre pais e filhos, os divórcios, o processo de envelhecimento, a nossa consciência, Moisés, a lei, a morte, o juízo final... tudo fala. Os céus declaram que há algo errado conosco.

Os adeptos da chamada "missão integral da igreja" cuja vida é integralmente dedicada à política deveriam ouvir a mensagem de Cristo. Qual mudança política é capaz de mudar o coração humano? Qual teoria político-econômica dá conta da nossa natureza? Aqui, fica evidente que os cristãos têm o dever de sair pelo mundo chamando homens e mulheres para se reconciliarem com o seu Criador. Igrejas têm de ser plantadas. Grupos pequenos, abertos. Os campos missionários necessitam receber investimento. A igreja deve recusar-se a virar uma ONG.

A mensagem do cristianismo não é somente essa! Cristo veio ao mundo para nos livrar dos mecanismos infantis que nós criamos a fim de nos descontaminarmos. Os rituais religiosos de purificação são uma afronta aos céus. Como crer que as nossas mãos sujas de sangue podem ser lavadas pelas bizarrices inventadas pela religião? Qual peregrinação, voto, promessa, penitência ou banho nas águas do Jordão pode tornar um homem agradável a Deus?

São bizarras, também, as tentativas mais sofisticadas de descontaminação. Negar o livre-arbítrio humano, no sentido de contestar o fato de que o homem faz o que quer fazer, e que seu comportamento é consciente e responsável. Ensinar o determinismo químico, biológico, genético, social, inconsciente. Dizer que o homem primeiro nasce, depois se define. Isto é, ele se define como quer, em desconsideração completa a qualquer norma e à sua própria natureza. Maravilhosa liberdade, como se o ato de escolher sua identidade não fosse pautado pela cultura: alguém que passa o roteiro para que o ego o cumpra fielmente. Hitler definiu a raça ariana como o melhor exemplar da espécie humana, digna, portanto, de a tudo pilhar e a todos subjugar. Milhões o seguiram. Nesse fenômeno, homens e mulheres passaram a se definir como obra-prima da evolução, e tudo culminando em Hermann Göring, Erwin Rommel e Joseph Goebbels. Como escreveu Tim Keller:

> Imagine um guerreiro anglo-saxão na Grã-Bretanha de 800 d.C. Ele tem dois impulsos e sentimentos interiores muito fortes. Um deles é a agressão. Ele adora esmagar e matar pessoas quando elas lhe faltam com o respeito. Vivendo em uma cultura de vergonha e honra e de ética bélica, ele se identificará com esse sentimento. Dirá a si mesmo: "Este sou eu! É assim que sou! Vou expressar isso". O outro sentimento que ele tem é de atração pelo mesmo sexo. Nesse sentido, ele dirá: "Esse não sou eu. Vou controlar e suprimir esse impulso". Imagine agora um jovem que esteja caminhando por Manhattan atualmente. Ele tem os mesmos dois impulsos, ambos igualmente fortes, igualmente difíceis de controlar. O que ele dirá? No tocante à agressão, ele pensará: "Não quero ser assim" e buscará libertação na terapia e em programas de gestão da ira. Ele refletirá, porém, sobre seu desejo sexual e chegará à seguinte conclusão: "Este é quem eu sou".[30]

CRISTO E A TRADIÇÃO RELIGIOSA SOCIALMENTE CONSTRUÍDA | **113**

Há um caminho para a nossa purificação que foi aberto pelo próprio Cristo — nosso salvador da religião e da ir-religião. O evangelho declara que um da nossa espécie não se contaminou. Por isso, terminou seus dias sem precisar pedir perdão aos céus pelo que fizera com a sua vida. Ele amou a Deus e ao próximo. Um de nós cumpriu a lei! As Escrituras o chamam de nosso representante. Ele obedeceu em nosso lugar e, mais que isso, foi morto pelos contaminados. Supremo ato de contaminação! Matar o autor da vida! Torturar o melhor de nós! Não conseguir conviver com o Santo!

O Filho de Deus foi morto pelas nossas transgressões. Nada é ensinado nas Escrituras com mais clareza do que essa verdade. Sua morte não teve como objetivo torná-lo um exemplo a fim de que, ao imitá-lo, pudéssemos ser purificados. Sua morte foi sacrificial, substitutiva, vicária. O preço foi pago. Seu sangue foi derramado para a nossa purificação. Não há mais necessidade de sufocar a verdade a fim de permanecer na irreligião. Não há mais necessidade de praticar bizarrices visando a comprar a salvação na religião. Basta arrependimento e fé. Como testemunhou Lutero:

> Quando eu era monge, esforçava-me, com a máxima diligência, em viver seguindo a prescrição da regra monástica. Costumava confessar e enumerar os meus pecados, sempre, porém, com a contrição precedente, e repetia, muitas vezes, a confissão e cumpria, zelosamente, a penitência a mim infligida. E, contudo, a minha consciência nunca podia alcançar certeza, mas sempre duvidava e dizia: "isso não fizeste corretamente, não foste suficiente contrito, isso deixaste fora enquanto confessavas" etc. Quanto mais, portanto, tentava curar a minha incerta, fraca e aflita consciência com tradições humanas, tanto mais a tornava incerta, fraca e perturbada.

E, desse modo, observando as tradições humanas, transgredia-as ainda mais e, indo no encalço da justiça da ordem monástica, nunca pude apreendê-la. Pois é impossível, diz Paulo, tranquilizar a consciência com as obras da lei, muito menos, com as tradições humanas, sem a promessa e o evangelho de Cristo [...].

Aqueles que, por conseguinte, desejam ser justificados e vivificados pela lei, retrocedem mais longe na justiça e na vida do que os publicanos, os pecadores e as meretrizes. Os publicanos, os pecadores e as meretrizes não podem apoiar-se na confiança de suas obras, porque são de tal natureza que não podem confiar nelas para alcançar a graça e a remissão dos pecados por causa delas. [...] Por outro lado, os presunçosos da justiça própria, abstendo-se externamente dos pecados e vivendo, na aparência, irrepreensível e piedosamente, não podem estar isentos da suposição de autoconfiança e justiça própria com o que a fé em Cristo não pode coexistir. São, por isso, mais infelizes do que os publicanos e as meretrizes, porque não oferecem suas obras a um Deus irado, a fim de que lhes dê, por causa delas, a vida eterna (como fazem os presunçosos da justiça própria), pois eles não têm boas obras a oferecer, mas pedem que lhes sejam perdoados seus pecados por causa de Cristo.[31]

O que fazer a partir da purificação em Cristo? Primeiro, apropriar-se dela diariamente. A graça que, pela fé, nos justifica não remove por completo o pecado nesta presente vida. Mas ninguém precisa viver novamente em mentira, práticas compensatórias e culpa. Basta olhar para aquele sacrifício! Fim das racionalizações. Fim da dificuldade de ouvir críticas. O reto juiz do universo o tornou justo e amável.

Segundo, é nosso dever cultivar o coração. Ele é central. Não basta lidarmos com exterioridades. A santificação tem de ser de dentro para fora. A vida cristã tem de ser vista como

CRISTO E A TRADIÇÃO RELIGIOSA SOCIALMENTE CONSTRUÍDA | **115**

inevitável. A sujeição a Cristo tem de ser espontânea. O que nos cabe fazer? Praticar o exato oposto do que foi prescrito pelos escribas e fariseus. Buscar a pureza de coração.

As disciplinas espirituais são de valor incalculável nessas horas. Separar tempo para orar, participar da ceia do Senhor, ler a Bíblia em espírito de oração, buscar a solitude, ouvir boa música, praticar as virtudes cristãs até as mesmas se transformarem em hábito, manter comunhão com os irmãos na fé... e pensar. Olhar para tudo o que vimos até aqui e dizer: "Diante do espetáculo de horror produzido pelos que estão dentro e fora da igreja, a mim só cabe correr para Cristo, e, na sua presença, em parceria com ele, buscar apresentar diariamente a Deus, como resposta grata ao seu favor imerecido, uma vida que o agrade".

CAPÍTULO 3

Cristo e a religião sem alma

E eis que certo homem, intérprete da Lei, se levantou com o intuito de pôr Jesus à prova e disse-lhe: Mestre, que farei para herdar a vida eterna? Então, Jesus lhe perguntou: Que está escrito na Lei? Como interpretas? A isto ele respondeu: Amarás o Senhor, teu Deus, de todo o teu coração, de toda a tua alma, de todas as tuas forças e de todo o teu entendimento; e: Amarás o teu próximo como a ti mesmo. Então, Jesus lhe disse: Respondeste corretamente; faze isto e viverás. Ele, porém, querendo justificar-se, perguntou a Jesus: Quem é o meu próximo?

Jesus prosseguiu, dizendo: Certo homem descia de Jerusalém para Jericó e veio a cair em mãos de salteadores, os quais, depois de tudo lhe roubarem e lhe causarem muitos ferimentos, retiraram-se, deixando-o semimorto. Casualmente, descia um sacerdote por aquele mesmo caminho e, vendo-o, passou de largo.

Semelhantemente, um levita descia por aquele lugar e, vendo-o, também passou de largo. Certo samaritano, que seguia o seu caminho, passou-lhe perto e, vendo-o, compadeceu-se dele. E, chegando-se, pensou-lhe os ferimentos, aplicando-lhes óleo e vinho; e, colocando-o sobre o seu próprio animal, levou-o para uma hospedaria e tratou dele. No dia seguinte, tirou dois denários e os entregou ao hospedeiro, dizendo: Cuida deste homem, e, se alguma coisa gastares a mais, eu to indenizarei quando voltar. Qual destes três te parece ter sido o próximo do homem que caiu nas mãos dos salteadores? Respondeu-lhe

118 | AZORRAGUE

o intérprete da Lei: O que usou de misericórdia para com ele.
Então, lhe disse: Vai e procede tu de igual modo.

LUCAS 10.25-37

NOS CAPÍTULOS ANTERIORES, conhecemos o Cristo que combatia o moralismo religioso e o tradicionalismo religioso. Usar a Lei para matar era o produto final do primeiro. Chamar de lei moral o que consistia em mera construção social da realidade religiosa era o produto final do segundo. A Lei e a tradição podem ser usadas para matar. Nenhuma instituição religiosa tem o direito de fazer interpretação das Escrituras que torne Deus inimigo dos homens, tampouco de exigir dos homens o que Deus jamais pediu.

As instituições religiosas não estão apenas expostas aos males do moralismo e do tradicionalismo. Membros das mais diferentes igrejas podem se tornar moralistas conservadores desapiedados. São homens e mulheres que, com seu ensino, fazem pessoas envergar pelo peso da lei e da tradição e que, com seu comportamento, revelam-se incapazes de levantar aqueles que foram envergados pelo peso da tribulação. A religião pode transformar homens em androides. Essa é uma das principais lições da parábola do bom samaritano, que revela um Cristo que sentia aversão pela religião sem misericórdia.

O relato começa: "E eis que certo homem, intérprete da Lei, se levantou com o intuito de por Jesus à prova e disse-lhe: Mestre, que farei para herdar a vida eterna?". Mais uma vez, o relato histórico dos evangelhos mostra um estudioso profissional do Antigo Testamento[1] buscando levar Cristo a dizer algo que o prejudicasse. Aquele homem vivia a estudar as Escrituras, que tanto falam sobre a vinda do

CRISTO E A RELIGIÃO SEM ALMA | **119**

Messias, mas, quando o Messias pula das Escrituras e põe-
-se ao lado do teólogo, esse não o reconhece.

Conhecer teologia não é o mesmo que conhecer a realidade do universo espiritual. Estar familiarizado intelectualmente com o mundo da Bíblia não significa conhecer
experimentalmente o mundo da Bíblia. Como escreveu
Tomás de Kempis: "Que te aproveita discorrer sabiamente
sobre a Trindade se, por falta de humildade, lhe desagra-
das? De certo não são as palavras sublimes que tornam o
homem santo e justo; mas uma vida virtuosa o faz agradável a Deus. É preferível experimentar a compunção a
saber defini-la".[2]

De que vale ser versado na Trindade se nada conhecemos sobre o encanto da beleza do Pai, revelada por Cristo,
no poder do Espírito? Fica aqui uma importante lição para
igrejas confessionais, que dão muito valor ao conhecimento
da doutrina: conhecimento teológico, interesse pela história da teologia, memorização dos catecismos, ministração
de aulas na escola dominical e especialização em apologética não são, por si sós, evidência de novo nascimento.

Ao descrever o ponto de vista de Jonathan Edwards sobre a diferença entre conhecimento doutrinário e conhecimento salvífico, o teólogo americano John Gerstner faz
importante afirmação sobre esse divórcio entre conhecimento e experiência real de conversão:

> O conhecimento religioso vem por meio da razão, a razão
> natural, mas a "beleza", ou "excelência" ou "amabilidade"
> deste conhecimento não é vista pela razão natural até a divi-
> na e sobrenatural luz revelá-la à razão natural. A luz divina
> vem de Deus, e sua experiência no regenerado é chamada de
> "sentido do coração" em distinção de — mas não à parte do
> — raciocínio da mente. [...] Apesar da relação íntima entre

a luz divina e o conhecimento doutrinário, essa luz não era (para Edwards) primordialmente intelectual, mas afetiva. Enquanto o intelecto era o necessário fundamento dessa visão, a visão era mais do que intelectual. Trata-se de uma visão da "amabilidade" dos atributos divinos. Os atributos poderiam ser entendidos à parte da luz divina, mas sua amabilidade não poderia ser vista de outra forma. Demônios poderiam ter conhecimento dos atributos de Deus, mas não da sua beleza. Apenas os piedosos têm uma "sensível" apreensão das principais coisas do evangelho.[3]

O intérprete da Lei foi a Cristo, manteve contato físico com ele, pôde apresentar sua questão, mas não tirou proveito espiritual algum de tão extraordinária oportunidade de conhecer o Salvador. Engana-se quem pensa que uma aparição literal de Cristo seria suficiente para fazer alguém se converter. Quando ele voltar na sua glória, na companhia dos seus anjos, os ímpios o verão, mas nem por isso se converterão. Visão espiritual não significa, portanto, contemplar literalmente a Cristo, mas vê-lo com os olhos do coração na beleza da sua santidade, e, por isso, amá-lo.

O conhecimento da Bíblia é essencial para que possamos discernir a autenticidade da experiência espiritual, mas não é a garantia de que passamos por uma experiência espiritual a ser discernida e autenticada pelo conhecimento bíblico. As Escrituras não são a realidade, mas apontam para a realidade. Se nos dirigiremos ao real — à comunhão com Deus —, é decisão que precisamos tomar.

A religião tem o poder de nos tornar satisfeitos por termos apreendido intelectualmente a verdade. Por isso, é sempre oportuno que quem vive no mundo da teologia responda a algumas perguntas: Qual foi a última vez que a doutrina o comoveu? Você tem passado pela experiência de ser

CRISTO E A RELIGIÃO SEM ALMA | **121**

forçado a fechar o tratado de teologia que está lendo e, sob o impacto de uma redescoberta, adorar seu Criador? Sua teologia o tem conduzido à renúncia pessoal a fim de socorrer quem sofre? Há amor na sua atividade intelectual?

O intérprete da Lei, entretanto, apresentou a Cristo uma das perguntas mais importantes que podemos fazer a Deus: "Que farei para herdar a vida eterna?". Ao apresentar a questão, ele mostra quanto o povo de Israel foi beneficiado por conhecer a Bíblia. O Antigo Testamento fez que o povo hebreu tivesse contato com os assuntos mais importantes da vida.[4]

O tema da vida eterna deveria ser o vetor de toda investigação filosófica. Ele trata de questão central: o que nos cabe fazer para provarmos da eterna felicidade em Deus? William Hendriksen escreveu: "'Vida eterna' — que belo termo, e quão superlativamente preciosa a essência indicada por ele! Refere-se ao tipo de vida que não só não tem fim quanto à duração, mas que também é inapreciável quanto à qualidade".[5]

A indagação do intérprete da Lei pressupõe o Antigo Testamento inteiro. Primeiro, que não é felicidade aquela que não tem Deus como princípio e fim. Segundo, que há vida bem-aventurada a ser vivida após a morte. Terceiro, que nosso destino eterno depende da nossa resposta à vontade de Deus revelada na sua Palavra. Como bem escreveu Blaise Pascal:

> Deixe que as pessoas pensem como preferirem, mas o único bem nesta vida repousa na esperança de outra vida. Só somos felizes na medida em que antecipamos isso, pois não haverá infortúnios para os que estiverem plenamente assegurados da vida eterna. No entanto, não haverá felicidade para os que não possuírem qualquer conhecimento sobre ela.[6]

O tema da vida eterna é o que torna a religião tão atraente aos seres humanos. Sabemos que as respostas para as perguntas referentes ao sentido da vida humana e o que nos aguarda após a morte são de natureza suprarracional. O que quero dizer com isso? Não é da alçada da filosofia racionalista, mas apenas da filosofia revelada,[7] oferecer respostas para os temas da morte e do sentido da vida.

A religião lida com essas questões vitais e se propõe a oferecer a solução do problema. Ela diz que tem a resposta por estar de posse de uma revelação.[8] Jamais a humanidade testemunhará um mundo de templos vazios. A busca por sentido e o horror em face da morte tornam o mundo da experiência mística absolutamente irresistível. Nessas horas, quem conhece a instituição religiosa por dentro é levado à indignação mais profunda. Como certas igrejas podem tornar tudo mais difícil para aquele que apenas a procurou por anelar encontrar em Deus e na sua Palavra o sentido da sua existência?

Criados para o amor

O relato de Lucas prossegue: "Então, Jesus lhe perguntou: Que está escrito na Lei? Como interpretas?". O intérprete da Lei queria, por meio da apresentação daquela questão central, extrair de Cristo alguma heresia que pudesse ser usada a fim de dar cabo de sua vida pública. A meta daquele homem era lançar Cristo contra Moisés. Jesus, ciente desse fato, responde sua pergunta por meio de outra pergunta.

Responder as perguntas de Deus é central para a redenção do homem. Deus tem uma pauta a apresentar a você e a mim. Ele quer reformular nossas questões intelectuais.

CRISTO E A RELIGIÃO SEM ALMA | **123**

Se não estamos preocupados em responder às perguntas que Cristo nos faz, quem está determinando o escopo das nossas preocupações intelectuais? Quem está nos pautando? Que legitimidade essa pessoa tem para determinar aquilo com que nossa mente deve se ocupar?

Cristo remete aquele homem a Moisés. Que decepção o intérprete da Lei dever ter sentido pelo fato de Jesus demonstrar respeito pelo Antigo Testamento! Deus havia revelado de modo verbal e proposicional a sua verdade ao seu povo: "Está escrito na Lei". Deus trouxe à tona, por meio da sua revelação, o que se encontrava, na consciência humana, sob os escombros do pecado. O que estava escrito no coração, mas tornado oculto pelas nossas iniquidades, foi registrado em livro pelo próprio Deus.

Aqui está a resposta do motivo das lágrimas quando lemos as Escrituras ou um pregador a proclama no poder do Espírito Santo, pois a Palavra de Deus opera como parteira da verdade, fazendo com que tenhamos contato com o que está oculto dentro de nós. Tomar consciência de que passamos a existência sufocando os fatos mais importantes referentes à nossa vida é devastador. Por isso, devemos ser cautelosos ao julgarmos o calor emocional de muitos cultos de adoração. As lágrimas, os gemidos e até mesmo os clamores em alta voz podem significar que dentro daquele templo pessoas estão mantendo contato consigo mesmas.[9]

Cristo pede ao intérprete da Lei que apresente sua interpretação do texto. O que Deuteronômio e Levítico ensinam? A resposta é um primor de conhecimento da Palavra de Deus. Ele não conhecia a Deus, mas era bom de Bíblia: "A isto ele respondeu: Amarás o Senhor, teu Deus, de todo o teu coração, de toda a tua alma, de todas as tuas forças e de todo o teu entendimento; e: Amarás o teu próximo como a ti mesmo. Então, Jesus lhe disse: Respondeste corretamente; faze isto e viverás".

Cristo reconhece publicamente a exatidão da resposta do intérprete da Lei. Deus pode reconhecer a saúde doutrinária de uma igreja, mas reprovar a forma como essa igreja se relaciona com a verdade que conhece. Esse é o motivo de encontrarmos igrejas cujo pasto é farto, mas o rebanho é magro. Igrejas com conhecimento teológico mais amplo podem ter vida inferior às igrejas com conhecimento teológico mais limitado. Enquanto as primeiras ignoram na prática o muito que conhecem, as outras creem ardentemente no pouco que sabem. Costuma, portanto, ser mais difícil dar vida a um ortodoxo morto do que fazer crer na boa doutrina o crente fiel que pouco conhece de teologia.

Toda a ética cristã está fundamentada nestes dois mandamentos: amar a Deus e amar ao que Deus ama. Vale a pena pensarmos na razão de ser desse apelo solene ao amor. Deus nos convida a amá-lo. Esse chamado tem muito a dizer sobre Deus e sobre o homem.

Pela graça divina, podemos amar o Criador. Os seres humanos, portanto, podem alcançar a mais alta finalidade de sua vida: ver beleza em Deus, fixar seus afetos nele, adorá-lo e viver para a sua glória. Não se pode conceber atividade mais excelsa do que essa. Mais que isso, é uma atividade que atende aos apelos mais profundos da natureza humana. Todo senso estético, toda busca por justiça e todo anelo por segurança encontram satisfação única nessa relação entre seres racionais e seu Criador infinito-pessoal.

Como declara Agostinho, nesta oração:

> Somente em ti posso reunir todos os pensamentos dispersos, e nada de mim se afasta de ti. E tu às vezes me introduzes num

CRISTO E A RELIGIÃO SEM ALMA | **125**

sentimento interior totalmente desconhecido, inexplicavelmente doce; tal sentimento, se atingisse dentro de mim a plenitude, tornar-se-ia algo certamente não pertencente a esta vida.[10]

Vale a pena, também, citar Pascal:

> O Deus de Abraão, de Isaque e de Jacó é um Deus de amor e consolação. É um Deus que preenche a alma e o coração daqueles a quem possui. É um Deus que os faz intimamente conscientes de sua condição miserável, enquanto lhes revela sua infinita misericórdia. É um Deus que se une a eles no mais profundo do ser. Ele é o único que os preenche com humildade, alegria, confiança e amor. De fato, ele é o Único que os torna incapazes de ter qualquer outro objeto, exceto ele próprio.[11]

O culto a Deus não enfastia. Quando Deus é revelado ao homem, esse finalmente encontra um objeto de adoração que não cansa e não mata o adorador. Isso em razão do fato de, por um lado, manter relação com um ser infinito e, por outro lado, manter relação com um ser que se derrama sobre a vida dos que o buscam, enchendo-lhes a alma de indizível prazer. Todas as faculdades humanas podem ser dedicadas a esse elevado propósito. Como escreveu C.S. Lewis:

> As promessas das Escrituras podem, muito por alto, reduzir--se a cinco: Em primeiro lugar, promete-se que estaremos com Cristo; em seguida, que seremos semelhantes a ele; depois, — e aqui é extraordinária a riqueza de imagens — que teremos "glória". Em quarto lugar, que seremos alimentados, festejados ou obsequiados; e, finalmente, que teremos posição de destaque no universo — governaremos cidades, julgaremos anjos, seremos colunas no templo de Deus. A primeira pergunta que me surge é: "Não bastaria a primeira promessa?". Será possível acrescentar alguma coisa ao conceito de estar com Cristo?

Pois deve ser verdade o que diz um velho escritor: aquele que tem Deus e tudo o mais nada possui que não possua aquele que apenas tem Deus. [...] A diversidade de promessas não significa que a nossa mais alta bem-aventurança encontre-se fora de Deus; mas, pelo fato de Deus ser mais do que uma pessoa e para que não imaginemos a alegria de sua presença exclusivamente sob o aspecto de nossa pobre experiência de amor pessoal, com todas as suas limitações, tensões e monotonias, somos supridos de uma porção de imagens variadas que se corrigem e se suplementam mutuamente.[12]

Quando o ser humano integral entra em relação santa com Deus, se estabelece uma harmonia interna capaz de progressivamente ajudá-lo a vencer as batalhas entre consciência, desejo e razão. O amor faz que a consciência seja pacificada, uma vez que ele bane o medo. O poder expulsivo desse novo amor atua sobre as demais paixões, tornando a vontade de Deus a alegria da alma.[13]

A razão celebra os motivos da santidade. Ninguém experimenta de modo perfeito essa harmonia na presente vida. Contudo, quando o ser humano volta para a casa do Pai, tem início esse processo de transformação, que atinge sua perfeição após a morte, e que nesta vida pode alcançar impressionante nível de reestruturação interna da psique humana, proporcionando paz na relação entre as diferentes partes da alma. Como escreveu o apóstolo Paulo: "Agora, pois, nenhuma condenação há para os que estão em Cristo Jesus. Porque a lei do Espírito da vida, em Cristo Jesus, te livrou da lei do pecado e da morte" (Rm 8.1).

Fomos criados para o amor. A rejeição do convite que Deus faz à humanidade para que o ame é a negação da nossa humanidade. Não há descanso fora da comunhão com Deus.[14] Por mais absurdo que possa parecer, é fato

CRISTO E A RELIGIÃO SEM ALMA | **127**

que nem mesmo a contemplação eterna do universo é capaz de satisfazer o espírito humano.[15] Como esses seres minúsculos podem apresentar tamanho desajuste em relação até mesmo ao que de mais espetacular o cosmo pode lhes oferecer? O motivo reside na nossa constituição. Fomos feitos para uma felicidade que só se satisfaz com a visão beatífica. O que encontramos nela? Esse ponto é central.

Amar a Deus significa adorar a um ser autoexistente, imutável, infinito e único. Pense num ser com esses atributos, causa não criada de todas as coisas. Ele é Deus que não cresce nem decresce em sabedoria, poder, santidade e glória, perfeito em tudo, inigualável. O ato de conceber a existência de Deus já faz desejá-lo. Esse ser torna todo o universo comparativamente desinteressante.

Buscar a Deus é mais do que anelar por proteção, é buscar um objeto de culto que seja digno de adoração. Não posso dizer "eu te amo" para Andrômeda. A Via-Láctea não pode se deleitar no meu amor. O que se me configura como eterno tornará a virar poeira estelar. Preciso de um objeto de culto que seja não apenas infinito, mas também pessoal. Como escreveu Francis Schaeffer:

> É difícil entender como um cristão ortodoxo, evangélico, que crê na Bíblia, pode deixar de se empolgar com o que crê. As respostas no âmbito intelectual devem nos fazer extremamente empolgados. Mas, muito mais que isso, fomos devolvidos a um relacionamento pessoal com o Deus que é real. Se somos crentes desinteressados deveremos voltar e descobrir o que está errado. Estamos cercados por uma geração que não encontra "ninguém em casa" no universo. Se existe algo que marque mais a nossa geração, é isso. Contrastando com isso, como cristão eu sei quem sou; conheço também o Deus pessoal que é real. Falo e ele ouve. Não estou cercado apenas por massa, nem por partículas de energia, mas Deus está aí.[16]

Vamos adiante. Procure acrescentar aos atributos de autoexistência, imutabilidade, infinidade e unicidade os atributos intelectuais, como sabedoria, veracidade e conhecimento. Ele é luz. Conhece a si mesmo, conhece o universo que criou, conhece a você e a mim e é verdadeiro em tudo o que nos revela.

Pense também no seu governo soberano. No controle absoluto que exerce sobre tudo o que criou. O motivo do amor, entretanto, excede à contemplação desses atributos: não amaríamos um ser todo-poderoso que usasse seu poder para a prática do que é perverso. Não amaríamos um ser de vida intelectual perfeita que usasse o seu conhecimento para a concepção de planos diabólicos.

O motivo do amor a Deus reside nos seus atributos de santidade. O amamos porque esse ser autoexistente, imutável, infinito, único, onisciente, onipotente, onipresente e soberano também é justo, santo, leal, misericordioso, gracioso e paciente. Amo esta declaração da Confissão de Westminster, que considero um poema:

Há um só Deus vivo e verdadeiro, o qual é infinito em seu ser e perfeições. Ele é um espírito puríssimo, invisível, sem corpo, membros ou paixões; é imutável, imenso, eterno, incompreensível, onipotente, onisciente, santíssimo, completamente livre e absoluto, fazendo tudo para a sua própria glória e segundo o conselho da sua própria vontade, que é reta e imutável. É cheio de amor, é gracioso, misericordioso, longânimo, muito bondoso e verdadeiro remunerador dos que o buscam e, contudo, justíssimo e terrível em seus juízos, pois odeia todo o pecado; de modo algum terá por inocente o culpado.

Deus tem em si mesmo, e de si mesmo, toda a vida, glória, bondade e bem-aventurança. Ele é todo suficiente em si e para si, pois não precisa das criaturas que trouxe à existência, não deriva delas glória alguma, mas somente manifesta a sua

CRISTO E A RELIGIÃO SEM ALMA | **129**

glória nelas, por elas, para elas e sobre elas. Ele é a única origem de todo o ser; dele, por ele e para ele são todas as coisas e sobre elas tem ele soberano domínio para fazer com elas, para elas e sobre elas tudo quanto quiser.

Todas as coisas estão patentes e manifestas diante dele; o seu saber é infinito, infalível e independente da criatura, de sorte que para ele nada é contingente ou incerto. Ele é santíssimo em todos os seus conselhos, em todas as suas obras e em todos os seus preceitos. Da parte dos anjos e dos homens e de qualquer outra criatura lhe são devidos todo o culto, todo o serviço e obediência, que ele há por bem requerer deles.[17]

A santidade de Deus, contudo, é o principal motivo da adoração perplexa, como declara Jonathan Edwards:

Pessoas santas [...] amam a Deus, em primeiro lugar, pela beleza da sua santidade ou perfeição moral, como sendo supremamente amável em si mesma. Não que os santos, no exercício das afeições santas, amem a Deus apenas pela sua santidade; todos os seus atributos são amáveis e gloriosos aos seus olhos; eles se deleitam em cada perfeição divina; a contemplação da infinita grandeza, poder, e conhecimento, e terrível majestade de Deus, é prazerosa para eles. Mas, o seu amor a Deus pela sua santidade é o que é mais fundamental e essencial em seu amor.[18]

Estamos, portanto, diante de algo que tira o fôlego, causa perplexidade, espanta, faz-nos cair de joelhos, leva-nos a escrever salmos, faz do cosmo um lar, nos conduz a ver em todas as coisas uma declaração de amor. Agora, sim, quero correr o universo para conhecer sua criação e, por meio do contato com galáxias, estrelas e planetas, prestar culto ao que reina majestosamente sobre a totalidade da criação.

Devo prestar a Deus o culto que lhe é devido por outro motivo: devo a ele a minha existência e a manutenção da minha vida ao seu decreto. Enquanto você lê este livro, ele sustenta o seu batimento cardíaco. O mesmo que me mantém vivo me chama para me juntar aos anjos, arcanjos e querubins, a fim de prestar-lhe adoração. Adoração a ser prestada a quem mais me ama no universo. Aqui fecham-se os argumentos do amor a Deus. Sou objeto da paixão desse ser. Tenho de amá-lo. O mandamento é justo.

Os cristãos sofrem do mal incurável de não se imaginarem privados da comunhão com Deus. Não é a palavra "Deus" que os faz viver, mas o Deus-Pai, que se revelou em Cristo. O mesmo que moeu o seu único Filho por amor aos homens. Agora, pegue tudo o que falamos neste capítulo e ponha a cruz no centro. Assim, entenderemos o adorador perdendo os sentidos na presença da sua divina delícia. Declara o apóstolo Paulo: "Mas Deus prova o seu próprio amor para conosco pelo fato de ter Cristo morrido por nós, sendo nós ainda pecadores" (Rm 5.8).

Amar a Deus requer amar ao que Deus ama. Ele ama os homens. A espécie humana carrega consigo muito do que há em Deus e, por isso, revela a Deus. Calvino escreveu: "Ninguém se pode (sequer a si próprio) mirar sem, de pronto, o pensamento volver à contemplação de Deus, em quem vive e se move (At 17.28), porquanto longe de obscuro é que os dotes com que somos prodigamente investidos de modo algum de nós provém".[19] Nada revela mais a Deus do que o homem.

Se queremos conhecer a Deus, cabe-nos olhar para dentro de nós. O que significa, portanto, que devemos emergir dessa contemplação para nos relacionarmos com os seres humanos de modo análogo ao que nos relacionamos com Deus. Eu posso descer uma marreta sobre um bloco de pedra, cortar uma árvore e desviar o curso de um rio, mas não posso lidar impunemente com os membros da minha espécie.

Certamente, existe o que poderíamos chamar de pecado contra a natureza. Pecar contra a natureza representa pecar contra o homem. Persiste, contudo, o fato inegável de que uma coisa é pecar contra a natureza, outra coisa é pecar contra o homem. Declara Jonathan Edwards, na mais profunda obra sobre ética que conheço:

> Quando Deus e o homem são amados com o verdadeiro amor cristão, eles são amados pelos mesmos motivos. Quando Deus é amado corretamente, ele é amado pela sua excelência, e pela beleza da sua natureza, especialmente a santidade da sua natureza; e por esse mesmo motivo, os santos são amados — por causa da sua santidade. E todas as coisas que são amadas com verdadeiro amor são amadas a partir do mesmo respeito a Deus. O amor a Deus é o fundamento do amor gracioso pelos homens; e os homens são amados tanto porque eles são em algum aspecto como Deus, na possessão da sua natureza e imagem espiritual, ou por causa da relação que eles mantém com ele como filhos ou criaturas.[20]

Sei o que o meu próximo sente. Ele é um igual a mim. Identificar na vida de um ser humano a dor que conheço ou sou capaz de imaginar torna-me moralmente responsável por ele. Dele eu dependo para viver. Não seria o que sou se não fosse seus talentos e serviços prestados a mim. Ele corta meus cabelos, troca minha fralda, faz os meus óculos, trata dos meus dentes, enxuga minhas lágrimas.

Não consigo viver sem ele. Não apenas sem o seu serviço, mas também sem a sua amizade. Tenho necessidade visceral de dividir com ele meus momentos de alegria. Com ele posso falar sobre a beleza da vida, do universo e de Deus. Fui feito para a vida em sociedade, porque fui criado por um Deus-comunidade. O Deus Pai, Filho e Espírito Santo vive a experiência da relação eterna em amor. Fomos criados para viver a vida que Deus vive.

Dos seres humanos exijo amor. Os condeno quando me tratam com indiferença, me ignoram, me usam e não são solidários à minha dor. Esse ponto é central na ética cristã. Deus pede de mim o que peço do próximo. Sei como quero ser tratado. Sei, portanto, como devo tratar o próximo.

Lembro-me de ter perguntado a um traficante de drogas a quem estava evangelizando: "Seu eu praticasse maldade contra um filho seu, usando como justificativa a falta de oportunidade de vida, você me perdoaria?". Ele disse: "Não". Lá estávamos nós, no interior de uma favela do Rio de Janeiro, vivendo vidas sob vários aspectos opostas. Unidos, entretanto, por natureza comum, que nos faz prescindir de aula sobre ética, a fim de sabermos como devemos tratar o nosso semelhante.

Somos instruídos pelo nosso coração, que nos diz que é iniquidade tratar o próximo de modo contrário ao que exigimos que ele nos trate. O que fazer, sendo assim, quando encontro esse próximo moído pela vida, nu, faminto, sedento, vivendo sob regime opressor, explorado no mercado de trabalho, violado nos seus direitos básicos?

O amor não salva

Lucas prossegue em seu relato: "Então, Jesus lhe disse: Respondeste corretamente; faze isto e viverás". O que significa amar a Deus e ao próximo? Amar a Deus significa prestar a ele o culto que lhe é devido. Dar a ele exclusividade no coração. Desejar apenas uma coisa: fazê-lo sorrir, submeter-se à sua vontade, viver para a glória do seu nome. Significa ver excelência em Deus. Fixar o amor na

CRISTO E A RELIGIÃO SEM ALMA | **133**

beleza da sua santidade. Quando somos cativados pela beleza de Deus, nós o tornamos o nosso supremo bem. O passo seguinte é relativizar todos os demais bens da vida em razão da absolutização do bem maior. Isso nos conduz a entregar nosso Isaque a Deus.[21]

Como o amamos, valorizamos o que quer que seja na exata proporção da sua capacidade de nos aproximar Deus. Nós o queremos. Não queremos fama nem anonimato, fartura nem escassez, riqueza nem pobreza — queremos a Deus. Por isso, em tudo somos gratos. Estamos abertos para o que a providência divina determinar. A cada passo, dizemos a Deus: "muito obrigado". Ao descrever o caráter do homem santo, J. C. Ryle declara que o que ama a Deus "dará valor às coisas, aos lugares e às companhias na proporção em que eles o fizerem se aproximar de Deus".[22]

Amar o próximo significa fazer que cada pessoa que cruza o nosso caminho volte para casa se sentindo amada. Amamos o próximo quando o tratamento que a ele dispensamos é regulado pelo modo como esperamos ser tratados pelos seres humanos. Sendo assim, estamos dispostos, se necessário for, a abrir mão do que nos fará falta a fim de viabilizarmos a vida do necessitado que a providência divina fez cruzar o nosso caminho. Amamos o próximo ao ajudá-lo a viver na plenitude da expressão da imagem e semelhança de Deus da qual ele é portador. Amar é tornar o próximo... próximo de Deus.

Neste ponto da mensagem de Cristo, uma pergunta se impõe: quem vive desse modo? Quem cumpre a Lei? Quem ama? Observe que Deus não é apresentado como um tirano exigindo tolices que inviabilizam a vida humana. As Escrituras nos revelam um Deus de amor que pede dos homens o que é razoável. Deus pede que vivamos a vida que ele vive.

Chama-nos para viver da única maneira que torna a vida em sociedade viável. Não apenas isso. Pede o que você e eu cobramos dos que nos cercam. No dia do juízo final, seremos chamados para responder uma simples questão: vivemos o que passamos a vida inteira cobrando do próximo?

A resposta de Cristo é a resposta de Moisés à pergunta do intérprete da Lei. Ele perguntou sobre o que fazer para herdar a vida eterna. A Lei pede exatamente isto: amor. Quem o fizer, viverá. A Lei, portanto, pede o que é justo, santo e bom. Contudo, nossa natureza não dá conta do que a Lei exige. Como declara o apóstolo Paulo constantemente: "Porque bem sabemos que a lei é espiritual; eu, todavia, sou carnal, vendido à escravidão do pecado. Porque nem mesmo compreendo o meu próprio modo de agir, pois não faço o que prefiro, e sim o que detesto" (Rm 7.14-15). E ele vai além:

> Todos quantos, pois, são das obras da lei estão debaixo de maldição; porque está escrito: Maldito todo aquele que não permanece em todas as coisas escritas no Livro da lei, para praticá-las. E é evidente que, pela lei, ninguém é justificado diante de Deus, porque o justo viverá pela fé. Ora, a lei não procede de fé, mas: Aquele que observar os seus preceitos por eles viverá. [...] É, porventura, a lei contrária às promessas de Deus? De modo nenhum! Porque, se fosse promulgada uma lei que pudesse dar vida, a justiça, na verdade, seria procedente da lei. Mas a Escritura encerrou tudo sob o pecado, para que, mediante a fé em Jesus Cristo, fosse a promessa concedida aos que creem.
>
> Gálatas 3.10-12,21-22

O amor não salva. Somos salvos pela graça de Deus que está em Cristo. Se a interpretação dessa passagem nos faz entender que o Senhor Jesus está ensinando salvação por

CRISTO E A RELIGIÃO SEM ALMA | **135**

meio do amor, não há evangelho a anunciar à humanidade, Cristo virou um segundo Moisés e a salvação é uma quimera. Ninguém ama com o amor que Lei exige. Ninguém ama com o amor que exigimos que seja praticado pelo próximo.

É muito importante, neste ponto da mensagem, estabelecermos a doutrina da justificação pela fé somente como chave hermenêutica do texto que estamos analisando. A parábola do bom samaritano não tem como objetivo ensinar salvação pela via do exercício da misericórdia. Como veremos mais adiante, as exigências da misericórdia estão acima da nossa capacidade de cumpri-las com perfeição.

Outro ponto de imenso valor: não há como dissociar o amor que devemos a Deus do amor que devemos ao próximo. As Escrituras não ensinam amor inconsciente a Deus revelado pelo exercício da misericórdia. A Lei pede que Deus seja conscientemente amado. A Lei pede que esse amor consciente leve o crente tanto ao altar da adoração quanto ao altar do serviço ao próximo. Deus quer ser amado no templo e nas ruas, seja quando nos curvamos em louvor em sua presença santa, seja quando nos curvamos em amor misericordioso na presença do necessitado.

Pregar salvação por meio do exercício do amor não é cristianismo. Se esse é o discurso de uma igreja, Cristo saiu do púlpito e em seu lugar entrou Moisés — essa igreja virou mesquita e sinagoga, o pastor virou rabino e imã. Tanto o islamismo quanto o judaísmo falam sobre a misericórdia. O que distingue o cristianismo de ambas as religiões é o sacrifício misericordioso de Cristo que veio ao mundo para salvar os que não sabem agir com misericórdia. Lutero escreveu:

> Ora, quando alguém ouve que deve crer em Cristo, mas que a fé não justifica se não lhe é acrescentada essa fórmula, isto é, o

amor, então, depressa abandona a fé e pensa: "Se a fé não justifica sem o amor, então, a fé é ociosa e inútil e somente o amor justifica, porque, se a fé não é formada e ornada pelo amor, então nada é". Para comprovar essa sua perniciosa e nociva interpretação, os adversários citam a passagem de 1Co 13.1-2 [...] Eles pensam que essa passagem é seu muro de bronze. Mas, são homens sem discernimento, por isso, nada entendem e nada veem em Paulo. Com essa falsa interpretação, não apenas fizeram injustiça às palavras de Paulo, mas, também, negaram a Cristo e sepultaram todos os seus benefícios.

Por isso, essa interpretação deve ser evitada como um veneno infernal e devemos concluir com Paulo: "Somente pela fé, não pela fé formada pelo amor, somos justificados". Por essa razão, não devemos atribuir a força da justificação que torna o homem agradável a Deus a uma forma, mas à fé que se apropria de Cristo, o próprio Salvador, e o tem no coração. Essa fé justifica sem o amor e antes dele. Admitimos que devemos ensinar também a respeito das boas obras e do amor, mas no tempo oportuno e no lugar adequado, isto é, quando tratamos da questão das obras, à parte desse artigo principal, que é a justificação. Esse artigo trata da maneira pela qual somos justificados e alcançamos a vida eterna.[23]

Amor mutilado

Ao ouvir Cristo dizer "faze isto e viverás", era para o intérprete da Lei cair de joelhos e clamar pela misericórdia de Deus. Creio que ele o ouviria dizer: "Vinde a mim, todos os que estais cansados e sobrecarregados, e eu os aliviarei. Tomai sobre vós o meu jugo e aprendei de mim, porque sou manso e humilde de coração; e achareis descanso para a vossa alma. Porque o meu jugo é suave, e o meu fardo é leve" (Mt 10.28-30). Contudo, seu coração estava mais próximo da Lei do que do evangelho.

CRISTO E A RELIGIÃO SEM ALMA | **137**

O intérprete da Lei sabia que, dependendo do conceito de amor que Cristo lhe apresentasse, ele estaria perdido: "Ele, porém, querendo justificar-se, perguntou a Jesus: Quem é o meu próximo?". Querendo justificar-se! Temos de atentar para essa resposta. Ela tem muito a dizer sobre religião!

Instituições religiosas inteiras seguem a lógica da diminuição do padrão moral a fim de se justificar. Elas buscam remover o elemento de escândalo da fé cristã. Isso pode assumir a forma da prática do que é menos custoso a fim de a igreja se eximir da prática do mais custoso. É uma troca brilhante, que as instituições religiosas sabem muito bem fazer.

Outro movimento pode ser notado na cultura religiosa de muitas igrejas: desfigurar por completo o princípio ético a ponto de ele se transformar num simulacro da vontade revelada por Deus. O judaísmo dos tempos de Jesus estava imerso nesse comportamento.

A pergunta do intérprete da Lei, difícil de ser compreendida por muitos de nós, era subproduto de uma cultura religiosa excludente. Para alguns mestres, esse amor pelo próximo significava apenas amor pelos judeus e pelos convertidos ao judaísmo. Os fariseus julgavam que esse amor deveria ser exercido de forma exclusiva na relação com os judeus convertidos à moral farisaica. Os essênios exigiam que se odiassem todos os "filhos das trevas".

O teólogo alemão Joachim Jeremias lembra que uma expressão rabínica ensinava que se lançassem numa fossa os heréticos, os denunciadores e os apóstatas para sempre, e uma máxima popular muito disseminada excetuava o inimigo pessoal do mandamento do amor.[24] Daí a pergunta "quem é o meu próximo?".[25]

Não há dúvida de que a Lei diz: "Amarás heterossexuais, homossexuais, conservadores, progressistas, marxistas, neoliberais, católicos, protestantes, muçulmanos, espíritas, agnósticos, ateus, pobres, ricos, homens, mulheres, instruídos, analfabetos, burgueses, proletários, civis, militares, reformistas e revolucionários". A cultura religiosa de algumas igrejas, nas exatas extensões do seu viés ideológico e de sua miopia moral, faz que o exercício do amor por essas pessoas seja visto como cuidar de porcos.

A pergunta do intérprete da Lei é mais absurda do que os seguranças do Museu do Louvre perguntarem: "De quais obras de arte devemos cuidar?". A resposta de Jesus — responsável por incalculável volume de boas obras na história da humanidade — assumiu a forma de parábola simples de entender, mas poderosa para cortar o coração, expor a maldade humana e revelar a beleza do evangelho.

Lucas narra: "Jesus prosseguiu, dizendo: Certo homem descia de Jerusalém para Jericó e veio a cair em mãos de salteadores, os quais, depois de tudo lhe roubarem e lhe causarem muitos sofrimentos, retiraram-se deixando-o semimorto". Tudo nessa parábola é deliberado. Trata-se de uma história inventada por Cristo. Sendo assim, ocultar a identidade da vítima foi proposital. Cabe a você e a mim colocar o nome de quem quisermos no lugar do nome desse símbolo da miséria humana — "Certo homem".

O que se tem de informação sobre aquele indivíduo é suficiente para saber o que a ele devemos. Ele tem cabeça de homem, rosto de homem, tronco de homem, braços de homem, pernas de homem e geme como homem. Basta. É um ser humano. Está incluído nas preocupações do amor.

Um homem descia de Jerusalém para Jericó, logo, era alguém que estava presente na terra da promessa, da geografia da Torá, do mundo da religião revelada. Jerusalém, a cidade de Davi, a capital espiritual do país, o lugar do

CRISTO E A RELIGIÃO SEM ALMA | **139**

templo, o ponto 900 metros acima do nível do mar para onde os judeus convergiam nas festas judaicas a fim de prestar culto no santuário. No outro extremo, 300 metros abaixo do nível do mar, estava Jericó, primeira conquista de Israel ao entrar na terra da promessa, lembrança eterna das muralhas que desmoronam pela intervenção divina a fim de que as promessas feitas ao seu povo se cumprissem. Nessa estrada, contudo, bandidos atuavam. Cristo não fala sobre a identidade desses homens, nem sobre o que os levava a roubar. Tudo o que sabemos é que sua presença tornava mais difícil a vida dos seres humanos. Parte dos problemas que enfrentamos se deve ao que nós, homens, fazemos uns com os outros.

Os criminosos abordaram a vítima, roubaram seus pertences, feriram seu corpo e a deixaram semimorta. Aqui também cabe tudo. Estamos diante de uma das múltiplas formas de seres humanos sofrerem nas mãos de seres humanos. Há pessoas dedicadas às mais diferentes modalidades de crime. Há pessoas sofrendo as mais diferentes violações de direito. Não há a mínima dúvida, portanto, que podemos deparar com pessoas que sofreram violação pontual de direitos, como também podemos deparar com várias pessoas que sofrem, ao mesmo tempo, violações sistêmicas de seus direitos.

Pessoas podem estar semimortas porque alguém lhes fez mal ou porque o sistema lhes fez mal. Em tudo isso, obviamente, homens operam, seja diretamente, empunhando uma pistola, seja indiretamente, empunhando uma caneta; seja exercendo domínio territorial armado sobre uma comunidade pobre, seja exercendo domínio político e financeiro sobre o poder público. O que fazer nas ocasiões nas quais a providência divina nos põe em contato com pessoas que agonizam? Vale a pena também dizer que o sofrimento aqui representado pode ser proveniente de luto, doença, desemprego ou ruptura do casamento, por exemplo.

Faço parte de uma geração para a qual a expressão "missão integral" era o mesmo que "Trindade", "justificação" e "regeneração", sem a mínima conotação político-partidária ou ideológica. Representava apenas a sistematização e a aplicação prática da grande comissão (pregar o evangelho) e do grande mandamento (amar o próximo). Tendo em mente esse conceito, entendo que a missão integral da Igreja envolve cuidar dos que sofrem, seja qual for a natureza do sofrimento. Circunscrever o exercício da misericórdia aos pobres significa ignorar a dor dos que se tornaram pobres de outro modo. Há gente que daria todos os seus bens em troca do retorno de um grande amor, da cura de um filho ou da restauração da sua saúde. É gente, portanto, que se tornou pobre.

Devemos fazer de tudo para que nenhuma ideologia política nos permita chamar o sofrimento de quem não é literalmente pobre de "pequeno burguês". Que não sejamos encontrados lutando pela justiça social enquanto trivializamos a dor de quem, apesar de ter o pão, não o come mais com prazer. Conforme escreveu J. C. Ryle:

> Temos de considerar todo o mundo como nosso campo de trabalho e toda a raça humana como o nosso próximo. Devemos ser amigos de todos os que estão oprimidos, ou são negligenciados, ou aflitos, ou doentes, ou estão presos, ou são pobres, ou órfãos, ou incrédulos, ou escravos, ou tolos, ou famintos, ou estão às portas da morte.[26]

Cristo começa a resposta ao intérprete da Lei apresentando o que não deve ser feito quando nos deparamos com agonia humana: "Casualmente, descia um sacerdote por

CRISTO E A RELIGIÃO SEM ALMA | **141**

aquele mesmo caminho e, vendo-o, passou de largo. Semelhantemente, um levita descia por aquele lugar e, vendo-o, também passou de largo". A escolha deliberada de um sacerdote e de um levita como exemplos negativos é a crítica mais contundente de Cristo às instituições religiosas do seu tempo.

O sacerdote sempre foi figura central na vida espiritual de Israel. Era ele que, na companhia do seu ajudante, o levita, cuidava do culto no templo. Era responsável pela administração dos sacrifícios e das ofertas e pela preservação das leis cerimoniais. Ambos são apresentados voltando do templo, situado em Jerusalém, e dirigindo-se para Jericó, morada de muitos sacerdotes e levitas daquele tempo. É quando a providência divina lhes mostra grande oportunidade de adorarem a Deus: eles cruzam com um homem semimorto. Havia pouco, tinham participado do sacrifício no templo, oferecido animais em adoração, entoado cânticos e recitado o Antigo Testamento. Agora, porém, estavam perante a chance de prestarem o mais alto louvor: adorar a Deus por meio do serviço prestado a quem Deus ama. Ao mencionar os dois, separadamente, Cristo enfatiza o colapso completo do sistema. Religião pode roubar a alma.

Serve aos propósitos perversos do homem e do diabo uma religião que nos faz perder de vista o seguinte fato: o sacrifício de adoração mais excelso é o serviço em amor prestado ao que sofre. Como disse o próprio Cristo, citando o profeta Oseias: "Mas, se soubésseis o que significa: Misericórdia quero e não holocaustos..." (Mt 12.7).

Muitos fazem o que lhes é possível para se evadirem desse modelo de espiritualidade, inventando práticas espirituais engenhosas, que os mantém mais entretidos com o templo do que com o que acontece do lado de fora da igreja. Deus ama receber a adoração cujo objetivo é fazer seres humanos encontrarem alívio para a sua dor. Nesse sentido, Deus tem prazer em ser encontrado no que sofre.

O custo do sacrifício em amor ao próximo revela a intensidade do amor a Deus, a profundidade do entendimento doutrinário, a extensão da compaixão e a beleza do caráter. Uma coisa é levantar as mãos no momento do louvor, outra é usá-las para limpar as fezes de doentes, sacar dinheiro do bolso para ajudar alguém a pagar suas dívidas ou para reformar um barraco na favela. Uma coisa é se curvar no templo para expressar contrição, outra é se curvar para socorrer o prostrado. Uma coisa é vir à frente no momento do apelo à oração, outra é se meter numa área pobre qualquer da cidade a fim de levar dignidade de vida ao despossuído.

Jamais deveríamos menosprezar a adoração pública, que pode nos levar a levantar as mãos, nos curvar e orar. Esses momentos refrigeram a alma, renovam a esperança, encorajam o coração e glorificam a Deus. Contudo, todo o gestual litúrgico pode ser usado para ocultar muita hipocrisia. Divorciado da prática do verdadeiro cristianismo, que consiste no exercício da misericórdia, é repulsivo a Deus. Conforme profetizou Isaías:

> Porventura, não é este o jejum que escolhi: que soltes as ligaduras da impiedade, desfaças as ataduras da servidão, deixes livres os oprimidos e despedaces todo jugo? Porventura, não é também que repartas o teu pão com o faminto, e recolhas em casa os pobres desabrigados, e, se vires o nu, o cubras, e não te escondas do teu semelhante?
>
> Isaías 58.6-7

A parte mais elevada da fé autêntica é a prática da verdade — pelo fruto se conhece a árvore. A religião pode nos

CRISTO E A RELIGIÃO SEM ALMA | **143**

desumanizar. Pode-se observar algo presente na cultura da igreja que impede seus membros de encontrarem nas Escrituras suas verdades mais importantes, que conduz pregadores a serem seletivos na apresentação das implicações éticas da sua exaltada antropologia e que leva pessoas a orar por avivamento que traga visitantes à igreja para adorar (o que é desejável), mas não por avivamento que mova crentes às áreas pobres da cidade para servir (o que não pode ser ignorado).

Por que as pessoas citadas na parábola de Jesus que estavam mais envolvidas com as atividades religiosas do templo ignoraram a dor do homem que jazia à beira da estrada? Responder a essa questão pode significar preservar a igreja de ter no seu seio os homens e as mulheres mais insensíveis da sociedade.

Uma igreja de não convertidos pode ser a resposta. A questão é mais que teológica: não é que a igreja esteja precisando ouvir mais sobre justiça social, a indiferença pode ser sintoma de falta de amor — um amor que não existe por falta de conversão. É contrassenso esperar que não cristãos, seja os de dentro ou os de fora da igreja, se comportem como cristãos. O que faz que o rol de membros da igreja contenha o nome de pessoas que não se converteram?

Igrejas podem diluir o conteúdo do evangelho a fim de ocultar o que nele é necessariamente ofensivo à cultura. Esse elemento de ofensa está sempre presente em toda pregação. Jamais a igreja encontrará cultura que não tenha de ser confrontada pelo evangelho. Muitos pregadores e plantadores de igreja tomaram conhecimento dessas barreiras culturais, após rigorosa análise de mercado, e trataram de eliminar da sua pregação o que não se negocia, a fim de que suas igrejas cresçam.

Se o Cristo que está sendo pregado é o que chama infelizes para serem felizes, mas não criminosos para serem salvos da ira vindoura, a igreja jamais terá aquele tipo de ser humano que a verdadeira pregação do evangelho é capaz de gerar. O teólogo americano John Gresham Machen escreveu, no início do século 20, tentando deter a onda liberal que havia invadido as igrejas americanas, como subproduto da tentativa de teólogos e pastores de adequar o cristianismo à cosmovisão moderna:

> Ao tentar remover do cristianismo tudo o que possivelmente poderia ser objetado em nome da ciência, ao tentar subornar o inimigo através de concessões que este mais deseja, o apologista realmente abandona o que começou a defender. Aqui, como em muitos outros departamentos da vida, parece que as coisas que às vezes são tidas como as mais difíceis de defender também são aquelas que mais valem a pena defender.[27]

O teólogo alemão Dietrich Bonhoeffer, numa conhecida passagem do seu famoso livro *Discipulado*, fala desse cristianismo de conteúdo diluído, que faz homens e mulheres estarem satisfeitos consigo mesmos, apesar de não apresentarem o fruto do Espírito:

> Não é necessário, portanto, que o cristão seja um discípulo, mas que se conforte com a graça. Isso é a graça barata que justifica o pecado em vez de justificar o pecador que deixa o pecado e se arrepende; não é o perdão que separa do pecado. A graça barata é a graça que outorgamos a nós mesmos. A graça barata é a pregação do perdão sem arrependimento do pecador, é o batismo sem disciplina eclesiástica, é a comunhão sem confissão de pecados, é absolvição sem confissão

pessoal. A graça barata é a graça sem discipulado, é a graça sem cruz, é a graça sem Jesus Cristo vivo e encarnado.[28]

A pregação do evangelho leva ao desespero. Ela sempre vem antecedida do anúncio da existência de um Deus santo que pede dos seres humanos o que é justo, racional e belo. Não há apresentação verdadeira do evangelho que oferta perdão que não seja precedida pela proclamação da lei que anuncia condenação. Faz-nos clamar por misericórdia e graça saber que não praticamos o que exigimos do próximo, que nossa vida é pura contradição, que por onde passamos deixamos rastro de sofrimento, que pessoas passaram a viver de forma pior por nossa causa, que pecamos contra a luz, que ignoramos o que é justo, que menosprezamos o que é racional e que, portanto, Deus é justo em nos julgar.

O evangelho, porém, anuncia um Deus que atrai sua ira para si mesmo, punindo nossos pecados na pessoa de seu único Filho. Em virtude de tão elevado preço, pago pelo autor da vida — que, devido à sua dignidade, oferece sacrifício suficiente para cobrir todos os nossos débitos e conquistar salvação eterna —, Deus oferece ao pecador um perdão justo, a ser recebido mediante arrependimento e fé. O apóstolo Paulo escreveu: "Deus estava em Cristo reconciliando consigo o mundo, não imputando aos homens as suas transgressões" (2Co 5.19).

Há virtudes que necessariamente se manifestam em razão da natureza da salvação. Pense na vida desse que foi ao inferno da culpa moral, mas que, pelo evangelho, foi elevado ao céu da adoção pelo sangue. Qual é o impacto dessa experiência em sua mente, emoção e vontade? O que significa ter consciência de ter sido objeto de um amor gracioso, paciente e misericordioso? Isso afeta o crente até a medula.

Numa extensão maior ou menor, os filhos de Deus manifestam na alma e no comportamento o mesmo sentimento que encontraram em Cristo. Como será a relação do que foi perdoado com os sofredores desse mundo? O que ele haverá de fazer por aquele que for encontrado na mesma condição de culpa, miséria e falta de esperança? Sem a mínima dúvida — devido à espécie de salvação que o autêntico convertido provou por meio da pregação do evangelho —, a totalidade da sua relação com o próximo será regulada pela forma como Cristo o tratou. Doçura, paciência e misericórdia estarão presentes em sua vida. Foi isso que ele encontrou em Cristo e esse amor passa a constrangê-lo. Surge um sentimento de inevitabilidade em seu espírito e se torna impensável viver na prática do desamor.

A vida centrada nas atividades litúrgicas do templo pode causar aquela espécie de autossatisfação que faz pessoas julgarem que é justo não se sobrecarregar com o exercício da misericórdia na rua, no hospital, no asilo, na prisão. Há quem pense que socorrer o que sofre não faz parte do seu chamado ministerial. Olhe para o sacerdote e o levita descendo de Jerusalém, após terem cumprido suas obrigações no templo! Não estaria Cristo desejoso de nos falar dessa tendência à autoindulgência, que tem como causa as atividades frenéticas do templo, usadas como meio de expiação da culpa? Participar intensamente das atividades litúrgicas não pode se transformar em exercício compensatório, que faz a consciência se sentir desincumbida e aliviada face aos custos envolvidos no serviço ao necessitado?

Uma teologia que se deixou influenciar por ideologia política pode estar por trás da indiferença da igreja. Sabemos que há ideólogos que associam a miséria à responsabilidade

CRISTO E A RELIGIÃO SEM ALMA | **147**

pessoal do pobre. Há quem creia que a pobreza é sempre resultado das escolhas feitas pelo necessitado. Sendo assim, não seria responsabilidade da igreja socorrer o que é responsável pelos seus infortúnios.

Por outro lado, a igreja pode ter seus braços amarrados por aquela espécie de ideologia que trata com desdém o exercício da compaixão, uma vez que socorrer o que está semimorto no caminho de Jerusalém para Jericó não resolve as questões estruturais de fundo: a desigualdade social, que leva seres humanos à prática do crime, e a falta de uma política de segurança pública que garanta o direito de ir e vir. Membros de igreja podem ser mais de direita ou esquerda que cristãos.

Intimamente relacionado às questões ideológicas está o preconceito. Qual é a identidade do que se encontra entre a vida e a morte à beira da estrada? Ele é alguém cuja morte é aceitável em razão da sua classe social, cor da pele, orientação sexual ou preferência ideológica?

O pragmatismo religioso proselitista pode levar igrejas inteiras a ver o crescimento numérico como única causa a ser abraçada. Por esse motivo, cristãos perturbados com a fome, o desemprego ou a falta de moradia poderão ser ignorados ou até mesmo sofrer forte oposição da própria igreja. São muitas as razões que podem levar pessoas profundamente religiosas ao comportamento indiferente do sacerdote e levita. Esse é o alerta solene que Cristo nos faz.

Não é demais repetir: religião pode transformar homens em pedra. Para aquele que jazia no caminho que ligava Jerusalém a Jericó, os dois religiosos que passavam eram como as pedras do caminho. O fim de determinadas igrejas em nada alteraria a vida de cidades inteiras do país.

A figura mais perturbadora da Bíblia

"Certo samaritano, que seguia o seu caminho, passou-lhe perto e, vendo-o, compadeceu-se dele", prossegue a parábola e Jesus, mais uma vez, deliberadamente surpreende, provoca e denuncia. Após usar dois religiosos como exemplos de transgressão crassa do mandamento de amar o próximo, ele usa como modelo do cumprimento exemplar desse mandamento um samaritano. Jamais esse exemplo seria usado numa sinagoga ou em aula de teologia numa escola rabínica da Jerusalém dos tempos de Cristo.

O samaritano era odiado pelos judeus. Por sua vez, seu ódio pelo judeu explodia de diversas maneiras. O samaritano era o mestiço, que havia contaminado sua alma com sangue pagão. Seus antepassados haviam construído, no monte Gerizim, um templo rival ao de Jerusalém, que foi destruído pelos judeus em 128 a.C. Entre os anos 6 e 9 d.C., samaritanos haviam espalhado ossos humanos pelos pátios do templo de Jerusalém, profanando o lugar considerado mais santo pelo povo hebreu.[29]

A visão samaritana das Escrituras era considerada inaceitável pelos judeus, uma vez que os samaritanos aceitavam como inspirados apenas os cinco primeiros livros do Antigo Testamento.[30] O ódio era tanto que judeus julgaram proferir grande insulto a Cristo chamando-o de samaritano: "Responderam, pois, os judeus e lhe disseram: 'Porventura, não temos razão em dizer que és samaritano e tens demônio?'" (Jo 8.48). Que lições podem ser extraídas dessa parábola? O que Jesus queria alcançar ao utilizar esse exemplo? Por que usar um samaritano como protagonista?

É da mais profunda importância corrigir a lição que muitos querem tirar dessa parábola, mas que faz violência ao que as Escrituras ensinam e esse próprio texto quer nos

CRISTO E A RELIGIÃO SEM ALMA | **149**

comunicar. Jesus não está falando sobre conversões inconscientes. Não está proclamando justificação pelas obras. Não está dizendo que os que ignoram a Deus provam de alguma forma o seu amor por ele mediante a prática da misericórdia. Observe que o principal mandamento consiste em amar a Deus com todo o ser. É esse sentimento de amor que dá beleza às obras de misericórdia, torna-as mais profundas e faz que perseveremos em praticá-las quando quem perece revela conduta moral que desafia o amor do melhor dos santos de Deus.

Não há nada nessa parábola que faça sugestão de que o samaritano fosse um incrédulo. O amor dos santos pelo próximo tem como vínculo o amor a Deus. Como escreveu o escritor de Hebreus: "De fato, sem fé é impossível agradar a Deus, porquanto é necessário que aquele que se aproxima de Deus creia que ele existe e que se torna galardoador dos que o buscam" (Hb 11.6). O teólogo americano R. C. Sproul afirmou:

> Quanto mais o conhecemos, mais entendemos quanto ele é digno da nossa adoração. Nós o adoramos porque ele é adorável. Nós o honramos porque ele é honorável. Nós o amamos porque ele é completamente amável. Sua majestade enche o mundo. Sua sabedoria governa nossa vida. Sua misericórdia perdoa nossos pecados. Sua imutabilidade nos mantém e preserva. Sua onipotência ilumina nossas trevas. Nele vivemos e nos movemos, temos nosso ser. Ele é o nosso Deus e nós somos o seu povo.[31]

É fato que não cristãos podem ser misericordiosos. A imagem e semelhança de Deus presente nos seres humanos os torna capazes de fazer as obras de Deus. A dor do próximo pode despertar-lhes a atenção para os infortúnios aos quais eles também estão expostos. Conhecer o sofrimento de um ser humano e com ele se identificar pode despertar os sentimentos mais profundos no coração do que não ama a Deus. Alguns podem até se julgar no direito de declarar que o samaritano, apesar de não crer em Deus, naquele ponto da sua vida se comportou como se cresse, tornando-se, assim, referência de amor misericordioso. Essa interpretação não passa pelo teste da mensagem de Cristo. O amor pelo Pai está presente em tudo o que ele fez e ensinou.

Sem o amor a Deus não há oferta de amor. Não há culto. Falar em salvação sem amor pelo Criador pode ser comparado à vida do cônjuge infiel que é excelente provedor e solidário nos afazeres domésticos. Seu casamento não corresponde no básico às expectativas do cônjuge, mas ele procura compensar a infidelidade por meio de muito serviço. Pecamos quando praticamos boas obras a fim de compensarmos nossa infidelidade. O grande mandamento mantém em equilíbrio e harmonia o amor que é devido a Deus e o amor que é devido ao próximo. Não temos o direito de separar o que Deus uniu. Deus quer ser amado no próximo. O próximo deve ser amado por amor a Deus.

Esse bom samaritano certamente é a figura mais perturbadora da Bíblia. Ele mostra como o distanciamento da instituição religiosa pode ser benéfico para a alma. Não andar na companhia do sacerdote e do levita o preservou de grave pecado. Se ele houvesse escutado o que eles ensinavam, tivesse vindo conversando com eles pelo caminho, imitasse seu modelo de espiritualidade, teria pecado gravemente naquele dia — sem se inquietar, uma vez que homens e mulheres tornados inanimados pela religião costumam estar para além de toda chance de ouvir os apelos do amor.

CRISTO E A RELIGIÃO SEM ALMA | **151**

Cristo nos permite fazer essas inferências a partir da história que inventou. Não que tudo fosse um caos e que Deus não tivesse sacerdotes e levitas fiéis naqueles dias. Contudo, para o bem de sua alma, os discípulos, que ouviam o diálogo de Cristo com o intérprete da Lei, deveriam ouvir a Cristo, e atentar para o que de diabólico podia ser encontrado na religião do seu tempo.

Aprendendo com os diferentes

O testemunho do samaritano também se tornava perturbador por outro motivo. Os que se consideravam as referências da ortodoxia tinham lições a aprender com o herege. Assim, Jesus chama seus discípulos a não se tornarem subservientes a nenhuma tradição. Não há modelo de igreja, tradição de espiritualidade ou sistema de teologia capaz de revelar toda a beleza do evangelho. E não apenas isso. Igrejas inteiras podem estar equivocadas.

Uma das lições que mais espero que você, leitor, possa extrair desse livro é justamente esta: a Bíblia e a história do cristianismo mostram que as heresias mais graves, os desvios de comportamento mais pecaminosos e as práticas mais desumanas foram sempre encontrados em movimentos religiosos que se isolaram. Eram igrejas que fecharam as janelas do templo, impedindo a passagem de ar e da luz que vem de fora.

É difícil superestimar o valor desse fato. Naqueles dias, podia ser encontrada vida em Samaria, para a perplexidade do intérprete da Lei. Não conheço golpe mais bem desferido no preconceito, na presunção, na arrogância e na soberba que esse de Cristo na religião dos seus dias, ao usar o samaritano como referência do amor. Certamente, há um samaritano na sua e na minha vida querendo ensinar-nos alguma verdade.

O que tornou o bom samaritano referência de amor para a humanidade? Para a vida da igreja, impressiona como descrição tão simples e breve sobre o caráter de um personagem de ficção possa servir de vetor para a missão da Igreja no mundo. Na verdade, enquanto Cristo declara o que espera que seus discípulos representem para um mundo em agonia, certamente fala de si mesmo. Essa passagem revela quem ele é, o que fez por você e por mim e o que deseja que seus servos façam.

Missão começa com aproximação. Diz o relato: "passou-lhe perto". Isso fala de conhecer a realidade sem intermediários. A teologia tem de ser feita mediante o diálogo com o mundo dos semimortos. Os teólogos deveriam deixar-se pautar pela desgraça. Nós, cristãos, deveríamos, também, permitir que a dor do necessitado nos levasse a fazer perguntas que jamais fizemos às Escrituras.

Deus nos chama a servir, amar e lutar por gente real. Nesse sentido, a providência divina pode colaborar conosco, fazendo com que surja no nosso caminho aquele a quem Cristo quer abraçar usando os nossos braços. Nada impede, contudo, que a aproximação seja deliberada. Os teólogos Harvie M. Conn e Manuel Ortiz falam desse ministério para os pobres e entre os pobres:

> Embora já tenha sido enfatizado demasiadamente, nós temos de repetir que o ministério para os pobres tem de começar com o ministério entre os pobres. É importante que esse passo difícil seja dado. O passo mais difícil a ser dado para muitos missionários e plantadores de igrejas urbanas no Estado Unidos é reajustar sua vida. Jesus reajustou sua vida por nós, e é imperativo que reajustemos nossa vida pelas

CRISTO E A RELIGIÃO SEM ALMA | **153**

pessoas pelas quais ele morreu. Isso não apenas representará mudança geográfica, mas também reajuste de estilo de vida. A fim de alcançar os pobres, nós temos de primeiro alcançá--los entre os pobres.[32]

A missão aprofunda-se por meio de uma visão sem intermediários. Jesus usa um termo interessante em sua parábola: "vendo-o". Isso significa que a providência forçou o samaritano a enxergar. Nada também nos impede de gastar as energias buscando compreender os motivos do sofrimento de uma classe social. Nesse ponto, as ciências sociais são de imenso valor, quando usadas a partir do que o evangelho tem a dizer sobre a condição humana. Aproximar-se, ver, pensar, formular hipóteses, sair em busca de fundamentação baseada em evidência empírica permite-nos trabalhar de modo eficaz, enfrentando as causas dos problemas sociais, em vez de tão somente cuidar dos sintomas. Há um ponto mais importante ainda, que não pode ser menosprezado. Aproximar-se e ver enternece o coração move a vontade e põe a mente para fazer teologia encarnada.

A missão torna-se sacrificial quando há compaixão. Jesus relata que o samaritano "compadeceu-se dele". Ouvir o gemido do que agoniza, observar no corpo da vítima as marcas da violência, notar o senso de dependência absoluta da solidariedade humana, avaliar a injustiça sofrida e mensurar as violações de direitos fere o coração, desperta a mente e move a vontade. Sem afeições santas, jamais a igreja cumpre sua missão na história.

Não há teologia da justiça social capaz de mover a igreja à ação, exceto se o coração for despertado pela tragédia do próximo. Sem esse sentimento, ninguém suporta as lutas inerentes à tarefa de ajudar num mundo que não ajuda.

154 | AZORRAGUE

John Stott expressou sua recusa em aceitar um cristianismo sem lágrima:

> Eu, pessoalmente, gostaria de ver mais indignação cristã para com o mal no mundo e mais compaixão cristã pelas vítimas do mal. Pense na injustiça social e na tirania política, no impiedoso assassinato de fetos humanos dentro do ventre, como se eles não passassem de meros pedaços de carne, ou na maldade e cinismo dos vendedores de droga e dos produtores de pornografia, que fazem fortuna explorando a fraqueza das pessoas e à custa da ruína delas. Se estes e muitos outros males são odiosos para Deus, por que o seu povo não se revolta contra eles?[33]

Temos aqui, portanto, a descrição do homem que não perdeu a sua humanidade. Ele tem alma. Ele é capaz de alterar seus planos. Esse é o espírito que move o discípulo de Cristo. Seus olhos estão abertos não apenas para as suas necessidades pessoais, mas, também, abertos para os dramas humanos. Seu coração participa dos sofrimentos do seu Salvador. A condição humana o faz orar para que venha logo o fim dos tempos, mas, enquanto esse dia não chega, trabalha incansavelmente para que pessoas voltem ao caminho por onde andavam, tornem-se senhoras da sua própria história e vivam para a glória de Deus.

A igreja deveria ter como uma de suas metas tornar homens os homens. Trazê-los de volta ao caminho. Restituir-lhes a autonomia de vida. Colocá-los de pé. A Igreja é chamada por Cristo para ser foco de irradiação de amor compassivo, um exército de perturbados com as injustiças do mundo, homens e mulheres que — com a Bíblia e o jornal nas mãos, os olhos no céu e no mundo, os pés no santuário e na rua — diminuam a desgraça, detenham o braço do opressor e minem os fundamentos das estruturas do mal.

CRISTO E A RELIGIÃO SEM ALMA | **155**

A missão torna-se eficaz por meio do amor integral. Jesus disse:

E, chegando-se, pensou-lhe os ferimentos, aplicando-lhes óleo e vinho; e, colocando-o sobre o seu próprio animal, levou-o para uma hospedaria e tratou dele. No dia seguinte, tirou dois denários e os entregou ao hospedeiro, dizendo: Cuida deste homem, e, se alguma coisa gastares a mais, eu to indenizarei quando voltar.

Aproximar-se, ver e sentir levaram o samaritano a fazer pela vida do homem que encontrara semimorto à beira da estrada o que gostaria que fosse feito à própria vida, caso estivesse em seu lugar. Cristo apresenta precisamente, nessa passagem, seu conceito de serviço em amor. Estamos diante do padrão do reino de Cristo, do modo cristão de servir.

O amor antecede a grande comissão e o chamado à luta pela justiça social. É o amor que regula o que devemos fazer pela vida daquele que a providência divina botou em nosso caminho a fim de que o socorramos. O samaritano não é visto pregando. Por quê? Porque a exigência do amor era que ele tratasse das feridas de um ser humano.

Na maior parte das vezes, não estamos diante de uma escolha entre evangelizar e servir. Podemos pregar de ambas as formas: falando e servindo, proclamando o evangelho e tornando a mensagem bela por meio do exercício da compaixão. Vale a pena ressaltar, contudo, que Cristo legitima, nessa parábola, o serviço prestado ao próximo, independentemente do seu resultado evangelístico. Não dá para ser diferente. O amor que é fruto da regeneração torna espontânea a manifestação da misericórdia.

O samaritano usa da medicina da época: óleo para suavizar a ferida e vinho para purificá-la. Numa cena das mais belas da Bíblia, Cristo descreve o samaritano botando o ferido sobre o próprio animal e levando-o a uma hospedaria, onde pudesse tratá-lo. Nada é feito por desencargo de consciência. Aqui o amor é orientado pelo que gostaríamos que fosse feito por nós caso estivéssemos no lugar da vítima.

Após tirá-lo da estrada, o samaritano põe aquele homem sob o teto de uma hospedaria. Todos os recursos disponíveis foram utilizados no socorro. O cristianismo nos chama a consagrar o que temos no serviço aos miseráveis. O samaritano, pessoalmente, permite que seja dado prosseguimento ao trabalho de cuidar das feridas ao usar seus recursos financeiros, passando às mãos do hospedeiro dois denários, que representavam o pagamento por dois dias de trabalho. Joachim Jeremias nos lembra que o sustento alimentar de um dia correspondia a uma duodécima parte do denário.[34]

Com sua atitude, o samaritano chama o hospedeiro a também participar do seu serviço, em amor. Porém, mais que isso, ele assume todo e qualquer custo adicional. Paremos para refletir e orar: Cristo está nos ensinando a amar! Cada detalhe dessa parábola, convém repetir, foi deliberadamente criado por Cristo com a intenção de nos apresentar o amor verdadeiro em ação. Como Cristo fala de si mesmo nessa mensagem!

Essa parábola lança luz sobre o tema da desigualdade social. Cristo ressalta o fato de que há pessoas que jamais conseguirão se levantar sozinhas. Em conexão a isso, convém destacar que essa condição de impotência pode ser coletiva. A compaixão, portanto, pode nos mover ao

CRISTO E A RELIGIÃO SEM ALMA | **157**

envolvimento com política e a luta por modelos solidários de sociedade. Milhões de seres humanos carecem da misericórdia da Igreja. Milhões de seres humanos carecem se livrar da dependência da misericórdia incerta da Igreja e da sociedade. Cabe aos cristãos compreender que não resolverão somente com filantropia os dramas de número incontável de homens e mulheres que vivem em estado de vulnerabilidade, privação e exclusão.

Recusar-se a pressionar o Estado a fim de que políticas públicas sejam implementadas em áreas carentes e evitar discutir sobre modelo político-econômico que possa viabilizar a ascensão social do pobre representam a recusa de amar responsavelmente. Como declara o economista indiano Amartya Sen, no seu excelente livro *Desenvolvimento como liberdade*:

O desenvolvimento requer que se removam as principais fontes de privação de liberdade: pobreza e tirania, carência de oportunidades econômicas e destituição social sistemática, negligência dos serviços públicos e intolerância ou interferência excessiva de Estados repressivos. A despeito de aumentos sem precedentes na opulência global, o mundo atual nega liberdades elementares a um grande número de pessoas — talvez até mesmo à maioria. Às vezes, a ausência de liberdades substantivas relaciona-se diretamente com a pobreza econômica, que rouba das pessoas a liberdade de saciar a fome, de obter uma nutrição satisfatória ou remédios para doenças tratáveis, a oportunidade de vestir-se ou morar de modo apropriado, de ter acesso a água tratada ou saneamento básico. Em outros casos, a privação de liberdade vincula-se estreitamente à carência de serviços públicos e assistência social, como por exemplo, a ausência de programas epidemiológicos, de um sistema bem planejado de assistência médica e educação ou instituições eficazes para a manutenção da paz e da ordem locais.[35]

O engajamento, a esperança e a luta por mudanças estruturais na sociedade não devem nos esquivar da responsabilidade de agir pontualmente. Trazer alívio à dor, prestar socorro real e fazer retornar à estrada aquele que a providência divina fez surgir em nosso caminho não pode ser considerado filantropia infantil que não resolve o problema da sociedade.

Quem foi objeto do amor misericordioso conhece o seu valor. A prática do serviço prestado ao homem, e não apenas à humanidade, é o que dá legitimidade ao discurso da Igreja, e faz que sua mensagem seja levada a sério.

Revolução nos modelos de espiritualidade

"Qual destes três te parece ter sido o próximo do homem que caiu nas mãos dos salteadores?", reformula Jesus a pergunta do intérprete da Lei. O amor não pergunta quem é o meu próximo, mas, sim, de quem estou sendo próximo. O amor pressupõe que o próximo é o membro da minha espécie, precioso aos olhos do Criador.

A questão que o amor misericordioso me apresenta, momento a momento, é se estou sendo o próximo da vida daquele cuja desgraça conheço e a quem tenho capacidade de ajudar. Sendo assim, a providência divina está sempre a nos apresentar uma oferta de adoração a ser oferecida a Deus.

O sacerdote e o levita pensavam em termos de animais a serem oferecidos no templo. Cristo fala de culto que se expressa por meio do amor compassivo. Quantas oportunidades Deus nos concede, neste mundo de injustiça e miséria, de prestarmos o culto que lhe é devido por meio do amor que é devido ao próximo! Socorrer o homem à beira da estrada valia muito mais que retornar a Jerusalém e,

CRISTO E A RELIGIÃO SEM ALMA | **159**

no templo, apresentar um animal sem defeito a Deus. Que revolução nos modelos de espiritualidade!

A pergunta de Cristo pode assumir perfeitamente outras formas: vivo como homem? Trato os que me cercam como gostaria de ser tratado por eles? Para quem eu tenho sido um anjo de Deus? Vivo a vida que Cristo viveu? Faço pelo próximo o que Cristo fez por mim? O perturbador é saber que, do ponto de vista do combate aos males deste mundo, do socorro ao necessitado e do exercício do amor que torna a vida em sociedade viável, o sacerdote e o levita não faziam a mínima diferença para a humanidade. Aqueles religiosos eram mantidos pelas ofertas dos fiéis para viver na comodidade da vida dedicada exclusivamente ao templo. Que igreja pode preservar seu respeito perante à opinião pública se seus membros, a começar pela vida dos seus pastores e bispos, banalizam a compaixão pelos que perecem nas ruas enquanto exaltam a importância das atividades do templo?

A igreja precisa compreender que há uma dimensão evangelística na prática de boas obras. Sem elas, ninguém é levado a crer no que a igreja ensina. Não é da natureza humana levar a sério quem não vive o que prega. Pregamos o evangelho, hoje, e somos ouvidos porque, no passado, esse mesmo evangelho se mostrou eficaz na vida de cristãos, que revelaram ao mundo o caráter de Cristo por meio da sua conduta.

Se não tivéssemos na nossa história os precursores da ciência moderna, os fundadores de algumas das mais importantes universidades do mundo, as entidades filantrópicas que espalharam obras de misericórdia pelo planeta e o testemunho de homens e mulheres que lutaram pela justiça e pelo direito, a humanidade simplesmente seria levada a crer que o cristianismo é um engodo. Nossa pregação é crida porque temos na nossa história figuras como Bach, Rembrandt, Galileu, Copérnico, John Harvard, Martin Luther King e William Wilberforce.

O intérprete da Lei responde com precisão à pergunta de Cristo. O golpe desferido na forma como as instituições religiosas funcionavam naqueles dias havia sido percebido. Religião sem misericórdia é do diabo. As hostes infernais conseguiram formar uma cultura religiosa desumanizante. Havia preocupação com a ortodoxia. As leis cerimoniais eram respeitadas. Ofertas eram encaminhadas ao templo. Sinagogas foram espalhadas pelo país. Mas homens haviam sido transformados em bonecos de cera: impassíveis, inertes, indiferentes. E tudo isso a partir do exemplo dos seus próprios guias espirituais.

A conclusão foi perfeita: "O que usou de misericórdia". Conceitualmente, o princípio não era estranho ao intérprete da Lei. Certamente, ele conhecia a profecia do profeta Miqueias: "Ele te declarou, ó homem, o que é bom e que é o que o Senhor pede de ti: que pratiques a justiça, e ames a misericórdia, e andes humildemente com o teu Deus" (Mq 6.8). Ele também estava familiarizado com a mensagem do profeta Oseias: "Pois misericórdia quero, e não sacrifício, e o conhecimento de Deus, mais do que holocaustos" (Os 6.6). Sem dúvida, aquele homem também já havia meditado sobre a mensagem de Zacarias: "Assim falara o SENHOR dos Exércitos: Executai juízo verdadeiro, mostrai bondade e misericórdia, cada um a seu irmão; não oprimais a viúva, nem o órfão, nem o estrangeiro, nem o pobre, nem intente cada um, em seu coração, o mal contra o próximo" (Zc 7.9-10).

O que faltava era a prática do que de mais basilar e belo a lei prescreve aos homens. Consciente do sentido da

CRISTO E A RELIGIÃO SEM ALMA | **161**

mensagem, talvez petrificado pela descrição do caráter do verdadeiro filho da aliança, após expressar corretamente a resposta à pergunta de Cristo, o intérprete da Lei ouve o Senhor Jesus lhe dizer: "Vai e procede tu de igual modo". A partir daquele encontro, Deus haveria de dar-lhe muitas oportunidades de encontrá-lo na vida do que sofre. Cultuá-lo — servindo. Amá-lo — amando o próximo.

Só haveria uma forma de o mandamento tornar-se desnecessário na sua vida: Deus não ser misericordioso com o intérprete da Lei, impedindo-o de servir, permitindo-lhe cair de cama, tornando-o miserável e levando-o do mundo. A misericórdia de Deus pela nossa vida consiste em ele permitir que tenhamos forças e recursos para que prestemos serviço misericordioso ao próximo.

Algumas aplicações práticas emergem desse diálogo magnífico. Primeira, *ajude as pessoas a se lembrar que têm uma alma*. Essa passagem não fala apenas de seres humanos feridos e tornados carentes da solidariedade humana. Ela fala, também, de seres humanos afastados de Deus e tornados carentes da pregação evangelho.

Há pessoas cujos corpos sofrem as consequências da miséria. Há pessoas cujas almas sofrem as consequências do pecado. O diálogo entre o intérprete da Lei e Cristo começa com uma questão fundamental: "Que farei para herdar a vida eterna?". Como o foco principal da passagem é o lugar da misericórdia na verdadeira vida cristã, podemos perder de vista o seguinte fato: "Que aproveita ao homem ganhar o mundo inteiro e perder sua alma? Que daria o homem em troca de sua alma?" (Mc 8.35-36). Usar a parábola para a Igreja dedicar-se integralmente às obras de filantropia, à luta pela justiça social, ao combate à miséria, mas perdendo de vista o chamado à evangelização do mundo, significa praticar péssima interpretação do texto, separar a grande comissão do grande mandamento e fazer que a Igreja cesse de cumprir o que somente ela pode praticar: pregar a mensagem da reconciliação.

Declara o apóstolo Paulo: "Porém em nada considero a vida preciosa para mim mesmo, contanto que complete a minha carreira e o ministério que recebi do Senhor Jesus para testemunhar o evangelho da graça de Deus" (At 20.24). Que essa paixão de Paulo tenha assento no nosso coração até o último segundo da nossa vida! Jamais entenderei compromisso com a promoção da justiça social que abafe o compromisso com a proclamação da justificação pela fé.

Segunda, *pregue a Lei até as pessoas se desesperarem por Cristo*. "Faze isto e viverás" é o que a Lei pede. É algo razoável, justo e belo. Nada diferente do que se deve esperar da parte de homens e mulheres que conheceram o Criador de sua vida. Nada diferente do que esperamos que os homens nos façam. Contudo, nenhum de nós vive nem uma coisa nem outra. A Lei, portanto, nos humilha, nos confronta e nos faz anelar por redenção.

Porém, para que a Lei opere no coração, despertando--o para o evangelho, precisa ser corretamente proclamada pela Igreja. A apresentação de uma caricatura da palavra "pecado" faz que o discurso da Igreja seja menosprezado. Pecar é não amar. Isso é profundamente perturbador!

Não falta evidência empírica para provar o ponto. Não podemos esperar que pessoas fujam do Cristo-leão para buscar salvação no Cristo-cordeiro enquanto a ira de Deus não levar os homens a procurar refúgio na graça de Deus. Pense no sacerdote e no levita. O que Deus sentia por eles? O teólogo inglês J. I. Packer escreveu:

CRISTO E A RELIGIÃO SEM ALMA | **163**

A ira de Deus é uma reação justa e necessária à perversidade moral. Deus só se ira quando a situação assim o exige. Mesmo entre os homens, há aquilo que chamamos de justa indignação, embora seja talvez raramente encontrada. Mas toda a indignação de Deus é justa. Um Deus que tivesse tanto prazer no mal como teve no bem seria um Deus bom? Um Deus que não reagisse contra o mal em seu mundo seria moralmente perfeito? Certamente que não. Pois é exatamente esta reação contra o mal, que é uma parte necessária da perfeição moral, que a Bíblia tem em vista quando fala da ira de Deus.[36]

Proclame o evangelho. A Igreja não foi levantada por Deus para pregar moralidade. Declarar que somos salvos por nos comportarmos como o bom samaritano significa tornar a vida do pecador privada de qualquer esperança de redenção. A Igreja foi levantada para anunciar ao mundo o evangelho. A intenção de Cristo era levar o intérprete da Lei a bater no peito e dizer: "Sê propício a mim, pecador" e, assim, receber o abraço de Cristo.

Martyn Lloyd-Jones escreveu, na sua magistral exposição sobre Romanos:

> O fim principal, o objetivo supremo do evangelho cristão, é responder à pergunta feita por Jó há muitos séculos: "Como pode o homem ser justo para com Deus?". [...] O que compete ao evangelho fazer é tornar-nos justos aos olhos de Deus, tornar-nos aceitáveis a Deus, capacitar-nos a estar de pé na presença de Deus. Pois bem, você pode ter sentimentos confortadores, pode ter experiências maravilhosas, pode ter tido uma grande mudança em sua vida, e muitas coisas erradas podem ter saído de sua vida, mas eu digo que, se você não tem algo que o habilite a estar de pé diante de Deus agora e no dia do Juízo, você não somente não é cristão; você nunca entendeu o evangelho.[37]

Terceira, *torne Deus amável aos homens*. O amor a Deus tem como razão de ser a beleza do seu caráter santo. Amar a Deus com todo o ser requer um vislumbre da sua majestade. Que trabalhemos duro, em completa dependência do Espírito Santo, para que o Deus que proclamamos seja visto como excelente aos olhos dos homens. No livro que você está lendo, por exemplo, não tenho desejo maior que tornar Cristo atraente aos homens por meio da apresentação desse Salvador amável que emerge das controvérsias com as instituições religiosas do seu tempo.

Quarta, *ensine o amor*. Proclame o exercício da misericórdia como evidência maior de novo nascimento. Declare com clareza que pelo fruto se conhece a árvore. Mostre nas Escrituras que, embora o amor não salve, ninguém entrará no reino de Deus sem amor. Mas jamais fale sobre viver em amor antes de falar sobre o evangelho. Não espere que o não regenerado viva a vida de um regenerado. E não barateie a graça, falando de uma salvação da culpa do pecado que não liberta do poder do pecado. Pecado é não amar.

Quinta, *salve seus ouvintes do poder corruptor da religião*. Estar na igreja não é tudo. Tornar-se membro de uma instituição religiosa expõe a alma a terríveis tentações. O mundo pode penetrar na igreja, tornando-a instrumento dos seus propósitos. Ainda que a igreja seja verdadeira, sempre será um corpo misto, composta por filhos das trevas e filhos da luz. Sendo assim, buque sempre a reforma da igreja. Que o pastor pregue expositivamente livros inteiros da Bíblia. Não permita jamais que a pregação seja seletiva, saltando passagens inteiras das Escrituras, a fim de a igreja se relacionar com um Deus que não contraria o homem e de ler uma Bíblia que não confronta seus

CRISTO E A RELIGIÃO SEM ALMA | **165**

interesses egoístas, tornando-se indistinguível da sociedade não cristã.

Abra as janelas da igreja. Deixe entrar luz e ar. Ouça membros de outras tradições de espiritualidade. Leia jornais. Visite favelas. Conheça escolas e hospitais públicos. Suspeite de si mesmo. Pense na possibilidade de estar equivocado. Veja a vida da sua igreja à luz das batalhas travadas por Cristo com as lideranças religiosas do primeiro século. Pense no samaritano, aquele de quem você tanto discorda, mas que vive vida mais bela do que você.

A que conclusão chegamos? A falta de misericórdia sinaliza a necessidade de salvação. Um Cristo misericordioso veio ao mundo salvar os não misericordiosos. Agora, Cristo nos chama para fazer pelo próximo o que ele fez por nós. E isso, por amor a Deus, para a glória de Deus e para revelar a beleza de Deus. Não conheço vida mais bela e digna de se viver.

CAPÍTULO 4

Cristo e os líderes religiosos do mal

Então, falou Jesus às multidões e aos seus discípulos: Na cadeira de Moisés, se assentaram os escribas e os fariseus. Fazei e guardai, pois, tudo quanto eles vos disserem, porém não os imiteis nas suas obras; porque dizem e não fazem. Atam fardos pesados [e difíceis de carregar] e os põem sobre os ombros dos homens; entretanto, eles mesmos nem com o dedo querem movê-los.

Praticam, porém, todas as suas obras com o fim de serem vistos dos homens; pois alargam os seus filactérios e alongam as suas franjas. Amam o primeiro lugar nos banquetes e as primeiras cadeiras nas sinagogas, as saudações nas praças e o serem chamados mestres pelos homens.

Vós, porém, não sereis chamados mestres, porque um só é vosso Mestre, e vós todos sois irmãos. A ninguém sobre a terra chameis vosso pai; porque só um é vosso Pai, aquele que está nos céus. Nem sereis chamados guias, porque um só é vosso Guia, o Cristo. Mas o maior dentre vós será vosso servo. Quem a si mesmo se exaltar será humilhado; e quem a si mesmo se humilhar será exaltado.

Ai de vós, escribas e fariseus, hipócritas, porque fechais o reino dos céus diante dos homens; pois vós não entrais, nem deixais entrar os que estão entrando!

[Ai de vós, escribas e fariseus, hipócritas, porque devorais as casas das viúvas e, para o justificar, fazeis longas orações; por isso, sofrereis juízo muito mais severo!]

Ai de vós, escribas e fariseus, hipócritas, porque rodeais o mar e a terra para fazer um prosélito; e, uma vez feito, o tornais filho do inferno duas vezes mais do que vós!

Ai de vós, guias cegos, que dizeis: Quem jurar pelo santuário, isso é nada; mas, se alguém jurar pelo ouro do santuário, fica obrigado pelo que jurou! Insensatos e cegos! Pois qual é maior: o ouro ou o santuário que santifica o ouro? E dizeis: Quem jurar pelo altar, isso é nada; quem, porém, jurar pela oferta que está sobre o altar fica obrigado pelo que jurou. Cegos! Pois qual é maior: a oferta ou o altar que santifica a oferta? Portanto, quem jurar pelo altar jura por ele e por tudo o que sobre ele está. Quem jurar pelo santuário jura por ele e por aquele que nele habita; e quem jurar pelo céu jura pelo trono de Deus e por aquele que no trono está sentado.

Ai de vós, escribas e fariseus, hipócritas, porque dais o dízimo da hortelã, do endro e do cominho e tendes negligenciado os preceitos mais importantes da Lei: a justiça, a misericórdia e a fé; devíeis, porém, fazer estas coisas, sem omitir aquelas! Guias cegos, que coais o mosquito e engolis o camelo!

Ai de vós, escribas e fariseus, hipócritas, porque limpais o exterior do copo e do prato, mas estes, por dentro, estão cheios de rapina e intemperança! Fariseu cego, limpa primeiro o interior do copo, para que também o seu exterior fique limpo!

Ai de vós, escribas e fariseus, hipócritas, porque sois semelhantes aos sepulcros caiados, que, por fora, se mostram belos, mas interiormente estão cheios de ossos de mortos e de toda imundícia! Assim também vós exteriormente pareceis justos aos homens, mas, por dentro, estais cheios de hipocrisia e de iniquidade.

Ai de vós, escribas e fariseus, hipócritas, porque edificais os sepulcros dos profetas, adornais os túmulos dos justos e dizeis: Se tivéssemos vivido nos dias de nossos pais, não teríamos sido seus cúmplices no sangue dos profetas!

Assim, contra vós mesmos, testificais que sois filhos dos que mataram os profetas. Enchei vós, pois, a medida de vossos

CRISTO E OS LÍDERES RELIGIOSOS DO MAL | **169**

pais. Serpentes, raça de víboras! Como escapareis da condenação do inferno?

Por isso, eis que eu vos envio profetas, sábios e escribas. A uns matareis e crucificareis; a outros açoitareis nas vossas sinagogas e perseguireis de cidade em cidade; para que sobre vós recaia todo o sangue justo derramado sobre a terra, desde o sangue do justo Abel até ao sangue de Zacarias, filho de Baraquias, a quem matastes entre o santuário e o altar. Em verdade vos digo que todas estas coisas hão de vir sobre a presente geração.

Jerusalém, Jerusalém, que matas os profetas e apedrejas os que te foram enviados! Quantas vezes quis eu reunir os teus filhos, como a galinha ajunta os seus pintinhos debaixo das asas, e vós não o quisestes! Eis que a vossa casa vos ficará deserta. Declaro-vos, pois, que, desde agora, já não me vereis, até que venhais a dizer: Bendito o que vem em nome do Senhor!

MATEUS 23.1-39

ESSA PASSAGEM DO EVANGELHO de Mateus no apresenta Jesus no templo pregando pela última vez às multidões: "Então, falou Jesus às multidões e aos seus discípulos". Seu objetivo é triplo: primeiro, alertar as multidões sobre os perigos da religião. Sua meta é "desconvertê-las" da cultura religiosa perversa a fim de convertê-las ao Deus verdadeiro. Segundo, ele se dirige aos seus discípulos a fim de mostrar-lhes como *não* conduzir a igreja. Jesus os alerta para não tornarem feio o que pode ser belo: homens e mulheres em comunhão, cultuando a Deus e servindo à humanidade. É como se dissesse: "Façam diferente. Não reproduzam o que viram. Não permitam que pessoas tenham a vida deformada por meio do contato com vocês. Não sejam guias cegos. Trabalhem para que a igreja ajude os homens a se encantarem com o evangelho". Terceiro, anunciar o juízo que se aproximava e a responsabilidade dos pastores pelo estado de penúria espiritual do povo, pela rejeição do Messias e pela queda iminente de Jerusalém.

Portanto, o que enxergamos nas palavras de Cristo é amor zeloso. Ela não quer que ninguém se perca e, por isso, mostra as entranhas da religião. Por meio de pregação incisiva, franca e apaixonada, dentro do templo, ele faz denúncias gravíssimas. O Senhor Jesus revela os males presentes no templo e na sinagoga e dá nome aos responsáveis.

Mais claro, honesto e objetivo não poderia ser. Essa passagem é para o mundo da religião o que o *O príncipe*, de Maquiavel, é para o mundo da política.[1] Da mesma forma que Maquiavel revelou o funcionamento do andar de cima das instituições políticas, Cristo revelou o funcionamento do andar de cima das instituições religiosas.

Cristo começa sua explanação: "Na cadeira de Moisés, se assentaram os escribas e fariseus". Nenhum personagem do Antigo Testamento moldou mais profundamente a alma do povo hebreu do que Moisés. Tudo o que os sábios, profetas e poetas vieram a falar depois de Moisés foi ensinado com base no que ele escreveu. Todas as leis civis, cerimoniais e morais tinham como alicerce a sua mensagem. Estar sentado na cadeira de Moisés significava falar em seu lugar, declarar-se porta-voz da sua mensagem e intérprete fiel do Pentateuco.[2]

Deus falara a Moisés, que registrara o conteúdo da revelação em cinco livros. Os escribas e fariseus declaravam que o Deus que havia falado por meio de Moisés agora falava por meio deles. Ninguém pode ocupar o lugar de porta-voz da Palavra de Deus impunemente.

Sentar-se na cadeira de Moisés! Pessoas saindo de seus lares ansiosas por ajustarem suas vidas à vontade de Deus.

CRISTO E OS LÍDERES RELIGIOSOS DO MAL | **171**

Vindo na direção da sinagoga pedindo que Deus fale pela boca do escriba. Prontas, portanto, para tomar decisões pessoais, rever crenças e construir seu conceito de Deus com base no que o estudioso das Escrituras haveria de ensinar. Como mensurar o poder de quem está sentado na cadeira de Moisés? E, de igual modo, como mensurar o poder de quem, hoje, se põe de pé no púlpito de Jesus Cristo?

O que Jesus tem a dizer a seus discípulos e à humanidade é que os mais altos postos eclesiásticos podem ser ocupados por doentes, canalhas e mentirosos. A igreja pode abrir caminho para que o anticristo suba ao púlpito. Tais homens se levantam em nome de Cristo, animados, porém, pelo espírito que faz oposição a Cristo, a fim de fazer que pessoas sejam desviadas do Cristo real. Como escreveu John Stott:

> Os maiores perturbadores da igreja [...] não são os que se lhe opõem de fora, que a ridicularizam e a perseguem, mas aqueles que dentro dela tentam alterar o evangelho. [...] Não devemos ficar deslumbrados, como acontece a muitas pessoas, com a personalidade, os dons ou a posição dos mestres da igreja. Eles podem dirigir-se a nós com grande dignidade, autoridade e erudição. Podem ser bispos ou arcebispos, professores universitários ou até mesmo o próprio papa. Mas, se nos trouxerem um evangelho diferente daquele que foi pregado pelos apóstolos e que se encontra registrado no Novo Testamento, devem ser rejeitados.[3]

A partir do terceiro versículo, Cristo começa a descrever a conduta dos líderes religiosos do mal: "Fazei e guardai, pois, tudo quanto eles vos disserem, porém não os imiteis nas suas obras; porque dizem e não fazem". Muito do que aqueles homens diziam acreditar e ensinavam era verdadeiro. Eles falavam sobre o Deus criador, a inspiração da Bíblia, o juízo final, a vida eterna. Havia o que aprender com eles. Ocorria, contudo, um descompasso entre o que ensinavam e o modo como viviam. Diziam palavras sublimes na sinagoga, afirmavam defender a ortodoxia, remetiam a Moisés e ao Antigo Testamento, mas, ao saírem da sinagoga, negavam com sua vida o que ensinavam com suas pregações.

Não que Cristo endossasse tudo o que ensinavam; essa não pode ser a interpretação da passagem. Jesus também criticou muito do que os escribas e fariseus pregavam.[4] No entanto, havia verdade em meio aos muitos absurdos que aqueles líderes religiosos botavam na boca de Deus.

Quando o diabo decide usar um pregador, frequentemente busca quem seja suficientemente ortodoxo. Agindo assim, a presença do falso profeta não causa alarde, a igreja teme confrontá-lo e a heresia é digerida como um banquete envenenado. Para a igreja se livrar da influência perversa dos líderes eclesiásticos do mal, nada torna a tarefa mais difícil do que a ortodoxia desses mesmos homens. Teme-se pecar contra quem ensina tantas verdades. Auditório cheio. Livros vendidos. Igreja movimentando fortuna. "Veja como Deus põe a mão sobre tudo o que ele faz!", pensam. Em razão do desempenho no púlpito, nas redes sociais e nos vídeos divulgados pela internet desses pregadores, as pessoas relevam seu mau gênio, as idiossincrasias, o pedantismo, a acepção de pessoas, a vaidade.

As pessoas creem que os tais são defensores severos da verdade. Consequentemente, não confrontam sua grosseria — que afasta e escandaliza os que vivem do lado de fora da igreja —, o espírito de censura — que destrói a reputação dos seus desafetos — e o legalismo — que separa os

CRISTO E OS LÍDERES RELIGIOSOS DO MAL | **173**

irmãos —, afinal, temem pecar contra o "ungido do senhor", o "eleito", o "profeta".

Esses líderes religiosos falam sobre perdão, mas recusam-se a perdoar quem não reconheceu sua realeza, chamando os que deles discordam de "desleais", "traidores" e "rebeldes". Declaram que o homem foi feito à imagem de Deus, mas ignoram o despossuído. Pregam sobre a comunhão dos irmãos, mas parecem não gostar do convívio com os seres humanos. Declaram que a igreja pertence a Cristo, mas a conduzem como patrimônio da família e a administram sem transparência e com a autonomia de quem se sente dono da empresa que criou.

Ortodoxos, mas sem alma

Imitar o líder religioso do mal significa tornar-se um ortodoxo sem alma. Andar na sua companhia representa tornar-se familiarizado com as grandes controvérsias teológicas da história do pensamento cristão, mas jamais familiarizado com o cristianismo experimental, que enche a vida do poder do Espírito Santo e torna o homem justo, humilde e bom. O garçom no restaurante abre a garrafa de água mineral para ele, e observa-se que ele não diz "muito obrigado". Os funcionários da igreja dizem, quando ele se aproxima, que "o homem chegou". Caminhar com ele torna o seminarista especialista em política eclesiástica, mas não versado em levar pessoas a Cristo.

Embora fossem condescendentes consigo mesmos, os escribas e fariseus eram rigorosíssimos com as pessoas. Sobre eles, Jesus denuncia: "Atam fardos pesados (e difíceis de carregar) e os põem sobre os ombros dos homens; entretanto, eles mesmos nem com o dedo querem movê-los".

Cristo, movido por seu mais profundo amor, alerta as multidões e seus discípulos quanto a essa característica da falsa religião, aquela que não é regulada pelo evangelho, que usa a Bíblia para matar, que confunde Deus com diabo, que faz a igreja se transformar em fábrica de neuroses.

Líderes religiosos do mal pregam a verdade com amargura. Falam do que é verdadeiro, mas de modo a exasperar as pessoas, deixando-as desanimadas. Falam sobre o amor a Deus, mas não têm alma para revelar a beleza que encanta e cativa. Falam sobre a obediência, mas não mostram o que pode viabilizá-la. Falam sobre o pecado que imediatamente polui, mas não ensinam sobre a graça que imediatamente perdoa. Falam sobre as boas obras, mas não falam sobre a fé. O problema não está apenas no conteúdo do que ensinam, mas na forma, no tom, no espírito.

Os líderes religiosos que trabalham para o anticristo também podem fazer pessoas envergar pelo peso da tradição. Não faltam nas instituições religiosas modos caricatos, infantis, desumanizantes e patológicos de tentar ganhar o amor de Deus. Cristo certamente também está falando sobre esse mundo de leis inventadas pela religião, que acabam levando o crente a agasalhar ódio secreto por Deus.

Como nos lembra o comentarista bíblico britânico R. V. G. Tasker, "quando insistem [os escribas e fariseus] na meticulosa observância das minúcias da lei, ou irrazoavelmente ampliam a esfera em que um preceito particular deva ser considerado vigente, ou propriamente dita, deixam de ser os guias para serem os opressores da humanidade".[5]

Há testes que devemos aplicar às tradições religiosas: Elas glorificam a Deus? Descomplicam a vida? Simplificam a relação com o Criador? Promovem a justiça? Suavizam a existência? Têm fundamento na Escritura? Configuram

CRISTO E OS LÍDERES RELIGIOSOS DO MAL | **175**

princípio ético que o amadurecimento e a evolução moral da igreja não devem modificar? Ajudam o amor? Funcionaram há 350 anos, mas agora viraram anacronismo? Fazem-nos ganhar tempo a ser empregado no serviço ao próximo? Aproximam-nos de Cristo?

Jesus também chama a atenção para a hipocrisia associada à falta de compaixão desses especialistas em Bíblia. Eles sobrecarregam as pessoas com seus fardos, mas não demonstram interesse em lhes oferecer a mínima ajuda para que cumpram o que lhes foi prescrito. Em sua vida pessoal, esses falsos mestres encontram sempre uma forma de se desincumbir das árduas tarefas que impõe ao próximo.

Como o evangelho é irracional, por ir contra o senso comum e apresentar um caminho de redenção inusitado, haverá sempre quem voluntariamente ofereça seu pescoço para receber a canga da religião. O evangelho é visto como muito bom para ser verdade e, por isso, o jugo não pode ser suave e o fardo não pode ser leve. A religião não pode se resumir a crer e amar, afinal!

Vemos Jesus a todo instante lutando para que homens e mulheres se desvencilhem das armadilhas da religião. Quanta compaixão Jesus revela pelo homem que se tornou presa do líder religioso! Que repulsa demonstrou por ver a religião levando os homens a não enxergar sentido em amar a Deus! Quantas pessoas, infelizmente, não souberam se dedicar ao exercício proposto por Cristo nessa passagem, separando a figura do pregador neurótico da do ser bendito de Deus! Quantas pessoas vivem e viveram distantes do Deus verdadeiro por o terem confundido com o deus do qual o próprio Cristo sempre desejou afastá-las! Que armadilha satânica milenar é tornar a moral opressiva a fim de que os homens vejam como opressiva a relação com Deus!

Jesus prossegue: "Praticam, porém, todas as suas obras com o fim de serem vistos dos homens; pois alargam os seus filactérios e alongam as suas franjas. Amam o primeiro lugar nos banquetes e as primeiras cadeiras nas sinagogas, as saudações nas praças e o serem chamados mestres pelos homens". Os homens são reis destronados. Perdemos a glória original. Fomos feitos para ser amados e, se não tivéssemos tomado o caminho que tomamos, desejando viver em autonomia em relação ao nosso Criador, desfrutaríamos da felicidade de ser o que gostaríamos de ser e sentiríamos humilde deleite em nossa vida. Perdemos a retidão original. Perdemos a beleza. Fomos deformados pelo pecado. Corpo e alma foram atingidos pela queda. Quem tiver de se relacionar conosco precisará ser paciente, tolerar nossas imperfeições e aprender a nos perdoar.

A busca por visibilidade é universal. Queremos ser vistos, amados e honrados. O que o Senhor Jesus declara nessa passagem é que muitos usam as instituições religiosas como meio de obtenção de visibilidade.[6] Os tais constroem templos, usam colarinho clerical ou togas e exigem ser chamados pelo seu título eclesiástico. Ou dedicam-se à expansão numérica da igreja, vestem-se com ternos caros e compram canais de televisão, destruindo quem entre em seu caminho. E isso para "serem vistos pelos homens". Há quem, para ser notado, tome o caminho da política, da obtenção de riqueza, da façanha esportiva ou da beleza física. Há quem vire pregador ou teólogo. Seja da maneira que for, a realidade é que há muitas maneiras de buscar a honra pessoal no ministério.

Quem se relaciona com líderes religiosos vaidosos sente-se usado. Suas amizades não são longas, pois esses líderes

CRISTO E OS LÍDERES RELIGIOSOS DO MAL | **177**

valorizam as pessoas na exata proporção de quanto elas colaboram para a construção do seu império ou para a projeção de sua imagem pessoal. No dia em que tais pessoas divergirem, pecarem ou fizerem algo que demonstre autonomia ou risco serão descartadas com facilidade. Quando os líderes religiosos do mal se sentam à mesa, a muitos enfadam com seu narcisismo, que exalta projetos pessoais ou realizações. Como a meta não é servir, mas ser popular, seu comportamento não é espontâneo. Eles são pragmáticos. Visam à fama, não à beleza. Não se imaginam praticando o que não vai contribuir para sua projeção.

O líder religioso do mal sente alegria em ouvir as pessoas os chamarem por títulos e formas de tratamento pomposas, como "reverendo", "senhor", "doutor", "teólogo", "bispo", "apóstolo", "patriarca". Ama ser "chamado mestre pelos homens". Sai em busca de títulos. Ele passa mais tempo em busca de reputação intelectual do que construindo o reino de Cristo. Seus livros têm mais notas de rodapé do que ideias próprias. Ser visto como erudito é a meta. Ele investe, portanto, em indumentária, templos, atividades estrategicamente calculadas e posicionamentos que exaltem seu nome. Charles Spurgeon escreveu:

> Se um homem perceber, depois do mais severo exame de si próprio, qualquer outro motivo que a glória de Deus e o bem das almas em sua busca do episcopado, melhor será que se afaste dele de uma vez, pois o Senhor aborrece a entrada de compradores e vendedores em seu templo. A introdução de qualquer coisa que cheire a mercenário, mesmo no menor grau, será como um inseto no unguento, estragando-o de todo.[7]

Unir pregadores vaidosos é tarefa de levar qualquer um à loucura, mesmo que a causa seja a mais justa. Esses homens não costumam dar sua glória a outrem e não se imaginam sob a sombra de quem quer que seja. Por essa razão, vivem exaltando sua história de vida, seus feitos, seu *pedigree*. Querem ser reconhecidos, elogiados, honrados.

As contendas entre esses ministros em busca da construção do seu reino são constantes. Frequentemente, seus almoços incluem no cardápio comentários sobre a última notícia trágica sobre a vida do rival a quem invejam. Muitos celebram a queda de quem deveria ser amado como irmão, ou adoecem quando esse mesmo irmão é honrado. Eles perderam o contato com a sua finitude. Como escreveu o filósofo francês Jean Guiton:

> Ser humilde é reconhecer-se tal como é: insignificante. A partir dessa constatação, a vida se transforma. Cessamos de viver na mentira excessiva e de ser insuportável aos outros. "Se a pequenez é a nossa verdade", disse João Crisóstomo, "não há virtude mais justificada do que a nossa modéstia, e erro mais decepcionante do que o orgulho".[8]

Não sei como esses homens conseguem ler o Sermão do Monte e não se sentir absolutamente carentes da graça divina. Jesus morreu vítima desse sentimento de inveja, fruto do orgulho presente na liderança religiosa judaica do seu tempo. E, incompreensivelmente, vemos muitos líderes de igrejas e denominações cristãs agirem da exata mesma forma em nossos dias.

Modelo cristão de igreja

Uma pausa é feita no sermão de Jesus. O movimento que Cristo estava iniciando não cabia nesse mundo de inveja, competição e vaidade:

CRISTO E OS LÍDERES RELIGIOSOS DO MAL | 179

Vós, porém, não sereis chamados mestres, porque um só é vosso Mestre, e vós todos sois irmãos. A ninguém sobre a terra chameis vosso pai; porque só um é vosso Pai, aquele que está no céu. Nem sereis chamados guias, porque um só é vosso Guia, o Cristo. Mas o maior dentre vós será vosso servo. Quem a si mesmo se exaltar será humilhado; e quem a si mesmo se humilhar será exaltado.

Quem pode negar a beleza de uma declaração como essa? Cristo apresenta aos seus discípulos o sonho chamado reino de Cristo, comunidade dos irmãos, Igreja. Observe, portanto, que ele não abre mão da ideia de os crentes viverem juntos em comunhão, edificando-se mutuamente e servindo uns aos outros. O Cristo que emerge nessas passagens desconstrói para construir. Qual é o sonho de Cristo para a vida da Igreja?

Cristo sonhava com uma Igreja apascentada por pastores humildes, homens que fomentariam entre a membresia uma relação que intelectualmente não seja subserviente a eles próprios. Isso significaria dizer: "Fui levantado por Deus, mediante o reconhecimento e a aprovação da igreja, para ensinar. Contudo, não sou o canal da revelação. Não tenho vida intelectual perfeita. Eu erro. Sou homem do meu tempo. Não absolutizem o que falo. Ouçam-me mantendo o evangelho em suas mãos. Exijam que eu pregue expositivamente. A fonte da verdade é Cristo. Minha autoridade está baseada na autoridade de Cristo. Não tenho o direito de usar o púlpito da igreja para trazer material alheio às Escrituras".

Esse pregador, portanto, consciente e deliberadamente, torna os membros da igreja independentes dele. Certamente, se o tal é expositor bíblico fiel, age segundo o amor e vive em santidade, terá a estima de todos. Mas não a ponto de o seu nome ser posto ao lado dos nomes dos profetas, apóstolos e do próprio Cristo. Como escreveu J. C. Ryle:

> Não somos proibidos de estimar grandemente e amar os ministros do evangelho, por causa do trabalham que realizam (1Ts 5.13). O próprio apóstolo Paulo, um dos mais humildes santos de Deus chamou Tito de "verdadeiro filho segunda a fé" e disse aos coríntios: "eu pelo evangelho vos gerei em Cristo Jesus" (1Co 4.15). Mesmo assim, devemos ter o cuidado de não dar insensatamente aos ministros um lugar e honra que não lhes pertencem. Jamais devemos permitir que eles se anteponham entre nós e Cristo.
>
> Mesmo os melhores dentre os melhores não são infalíveis. Eles não são sacerdotes que possam fazer expiação por nós; não são mediadores que possam cuidar dos interesses de nossa alma diante de Deus. Eles são homens sujeitos às mesmas paixões que nós, que precisam ser lavados no mesmo sangue expiatório de Cristo e precisam do mesmo Espírito renovador; homens separados para um alto e santo chamamento, mas, ainda, afinal de contas, apenas homens.[9]

O líder eclesiástico é um irmão entre irmãos, como Jesus disse: "e vós todos sois irmãos". Um pastor não é dono da igreja. Um líder não é dono da denominação. Sua liderança não pode ser vitalícia. Ele pode enlouquecer, parar no tempo, mudar de teologia, pecar gravemente, tornar-se intratável. Regularmente, os irmãos precisam se reunir em assembleia a fim de saber se ele ainda está em condição de ocupar posto de tamanha importância. Há um espírito democrático, portanto, na Igreja de Cristo.

O bom líder usa com cuidado a forma de tratamento "ovelha", jamais insinuando subserviência. Ele não se considera alguém que lidera idiotas. Quando abre a boca, tem sua mensagem regulada por espírito fraterno, pois está se

CRISTO E OS LÍDERES RELIGIOSOS DO MAL | **181**

dirigindo a irmãos, a iguais. Ao subir ao púlpito, o pastor deve se lembrar de que está falando para gente a quem deveria amar como irmão e irmã, sob os olhos do Pai, que não deixará impune quem trivializa tamanho privilégio.

O culto conduzido pelo bom pastor passa a ser visto como um encontro em família. Um dos objetivos precípuos da pregação é tornar o relacionamento entre irmãos no Corpo de Cristo algo tão belo, real e espontâneo que a igreja apresente evidência sociológica da veracidade do evangelho. Como escreveu John Stott:

> A pregação envolve um relacionamento pessoal entre o pregador e sua congregação. O pregador não é um artista que declama do palco enquanto a audiência permanece passiva. Nem é apenas um arauto, que prega como se estivesse "gritando dos eirados", um intermediário entre o Rei e um povo que ele não conhece, e que não o conhece também. Ele é um pai com seus filhos. Entre eles existe um relacionamento de amor familiar.[10]

Em suma, um pastor não pode ter como meta ser chamado de "mestre", "pai" ou "guia", mas ser visto como um irmão que se afadiga no estudo das Escrituras com vistas à edificação da Igreja. Repito: tudo isso é muito belo.

Os cristãos, portanto, devem estar precavidos. Há uma tendência a prestar uma sujeição indevida a pastores e líderes espirituais. Não há ninguém na terra a quem devamos prestar obediência irrestrita. Jamais deveríamos permitir criar uma relação de dependência com os líderes eclesiásticos. Em hipótese alguma podemos crer que há pregador que não fale asneira, que não insinue na sua pregação material alheio ao evangelho, que não tenha suas idiossincrasias e que não esteja exposto a fortes tentações e possibilidade de queda.

A relação que transforma homens falíveis em mestres infalíveis tem causado danos irreparáveis à vida de milhões de membros das mais diferentes instituições religiosas ao longo da história da Igreja. Percebendo o perigo de ser mal interpretado, Stott fez uma ressalva:

> Nunca devemos adotar para com um irmão na igreja a atitude de dependência que um filho tem para seu pai, e nem fazer com que outras pessoas sejam ou se tornem espiritualmente dependentes de nós. [...] Não temos [pregadores] o menor desejo de manter os membros de nossa igreja perpetuamente agarrados à barra da saia do pastor, sempre correndo ao nosso redor como as criancinhas fazem com sua mãe.[11]

Sendo assim, apenas um cuida de nós, nos ama incondicionalmente e sempre nos comunica a verdade. É só a ele que devemos toda submissão, em amor grato. Cristo o chama de *Pai*. O que é a Igreja? A comunhão dos irmãos sob o olhar amoroso do Pai. Deus é visto como tendo prazer na Igreja. Sua alegria consiste em ver pregadores eruditos e humildes proclamando em amor a verdade. Ele ama ver os cristãos tratando uns aos outros como verdadeiros irmãos. Aqui, o orgânico prevalece sobre o institucional. Não há hierarquia baseada em dignidade, mas em funcionalidade. E tudo, vale a pena enfatizar, em amor e *coram Deo*, isto é, na presença de Deus.

Cristo é o mestre da Igreja. Acima de Moisés. Acima do pastor. Acima de qualquer líder eclesiástico. Ele é o guia. Seu evangelho é o fundamento da teologia, a chave hermenêutica para a interpretação das Escrituras e o alimento que não pode faltar na pregação. Cristo é o guia! A Igreja deve estar transbordante de Cristo.

No púlpito de uma igreja verdadeiramente cristã fala-se mais sobre o Senhor Jesus do que sobre Agostinho, Tomás

CRISTO E OS LÍDERES RELIGIOSOS DO MAL | **183**

de Aquino, Lutero, Calvino, John Locke, Karl Marx, Freud, Sartre ou qualquer outro pensador, cristão ou não. Toda a teologia, todo o conceito de missões, teoria política e ética passam pelo crivo do evangelho. Jesus é a referência para a vida do ministro, que, se o imitar, deixará de viver do gabinete pastoral para o púlpito e do púlpito para o gabinete pastoral. Como entender um pastor que deseja pregar mas não quer ter um contato íntimo com os irmãos para quem prega?

O Cristo dos evangelhos mantinha contato em ruas, becos, vales, montes, casas, além de no templo com gente real e sofrida, com os miseráveis e os ricos, com os doentes e os leprosos. A Bíblia, portanto, será proclamada com todas as suas implicações práticas, por mais que se configurem como custosas. Passagens como esta não serão desfiguradas a ponto de não terem mais nada a dizer à igreja:

> Digo-vos, porém, a vós outros que me ouvis: amai os vossos inimigos, fazei o bem aos que vos odeiam; bendizei aos que vos maldizem, orai pelos que vos caluniam. Ao que te bate numa face, oferece-lhe também a outra; e, ao que tirar a tua capa, deixa-o levar também a túnica; dá a todo o que te pede; e, se alguém levar o que é teu, não entres em demanda. Como quereis que os homens vos façam, assim fazei-o vós também a eles.
>
> Se amais os que vos amam, qual é a vossa recompensa? Porque até os pecadores amam aos que os amam. Se fizerdes o bem aos que vos fazem o bem, qual é a vossa recompensa? Até os pecadores fazem isso. E, se emprestais àqueles de quem esperais receber, qual é a vossa recompensa? Também os pecadores emprestam aos pecadores, para receberem outro tanto. Amai, porém, os vossos inimigos, fazei o bem e emprestai, sem esperar nenhuma paga; será grande o vosso galardão, e sereis filhos do Altíssimo. Pois ele é benigno até para com os

ingratos e maus. Sede misericordiosos, como também é misericordioso vosso Pai.

Lucas 6.27-36

Se isso é a Igreja, a maior alegria será servir. "Mas o maior dentre vós será vosso servo", afirmou Jesus. Salta aos olhos quanto Cristo queria ver surgir algo que não tivesse a mínima relação com o funcionamento das instituições religiosas do seu tempo. Enquanto nas sinagogas pessoas disputavam a tapa os lugares de maior proeminência, na Igreja de Cristo a disputa seria pelos postos de maior oportunidade de serviço.

O evangelho de Cristo é um chamado a todos para lançarem longe o cetro e a coroa, se cingirem de uma toalha e pegarem uma bacia com água, a fim de lavar os pés dos irmãos. Quanta divisão carnal teria sido evitada na história da Igreja se cristãos levassem a sério essa injunção! Quantos absurdos deixariam de ser cometidos em nossos dias se líderes totalitários se tornassem servos de fato!

Jesus faz uma promessa clara, que também é uma advertência: "Quem a si mesmo se exaltar será humilhado; e quem a si mesmo se humilhar será exaltado". O indivíduo que usar a Igreja para autopromoção será humilhado. Subitamente, verá seu império eclesiástico desmoronar, sua denominação colapsar, sua igreja ser abalada. Sua reputação virará fumaça, suas conquistas serão ignoradas.

Sim, Deus pode permitir que haja um racha na denominação, que sua igreja passe por uma divisão severa, que a presença aos cultos dominicais decaia. Pode vir à tona a lavagem de dinheiro, a propina paga para liberar a construção do templo, a fortuna enviada para o exterior por doleiro profissional, o caso extraconjugal. Em suma, Deus pode se apartar desse homem e deixá-lo entregue a si mesmo.

CRISTO E OS LÍDERES RELIGIOSOS DO MAL | **185**

Mas pode haver nisso tudo amor, pois, pior que a humilhação temporal, é a humilhação eterna. Pense que terrível será esse homem descobrir no dia do juízo final que jamais amou alguém! Que grande horror futuro espera o pregador que se dedicou à religião para promover seus interesses egoístas e sua vaidade!

Em contraste com tudo isso, Cristo promete exaltar o que se humilha. O cristão fiel pode ter a excelência do seu caráter reconhecida e honrada por muitos. Não se pode esconder uma cidade edificada sobre o monte. Pessoas baterão à porta do pregador pedindo para ouvi-lo e ele simplesmente não conseguirá se esconder. Deus trata de dar visibilidade ao seu ministério. A grande surpresa que o aguarda está reservada para aquele grande dia futuro, quando ele ouvirá o próprio Cristo dar-lhe visibilidade eterna perante homens e anjos:

> Quando vier o Filho do Homem na sua majestade e todos os anjos com ele, então, se assentará no trono da sua glória; e todas as nações serão reunidas em sua presença, e ele separará uns dos outros, como o pastor separa dos cabritos as ovelhas; e porá as ovelhas à sua direita, mas os cabritos, à esquerda; então, dirá o Rei aos que estiverem à sua direita: Vinde, benditos de meu Pai! Entrai na posse do reino que vos está preparado desde a fundação do mundo. Porque tive fome, e me destes de comer; tive sede, e me destes de beber; era forasteiro, e me hospedastes; estava nu, e me vestistes; enfermo, e me visitastes; preso, e fostes ver-me.
>
> Então, perguntarão os justos: Senhor, quando foi que te vimos com fome e te demos de comer? Ou com sede e te demos de beber? E quando te vimos forasteiro e te hospedamos? Ou nu e te vestimos? E quando te vimos enfermo ou preso e te fomos visitar?

O Rei, respondendo, lhes dirá: Em verdade vos afirmo que, sempre que o fizestes a um destes meus pequeninos irmãos, a mim o fizestes.

Mateus 25.31-40

Portas fechadas

Retomar a mensagem de Cristo, após a apresentação do seu sonho para a Igreja, torna a maldade do religioso mais odiosa ainda — e digna de pena: "Ai de vós, escribas e fariseus, hipócritas, porque fechais o reino dos céus diante dos homens; pois vós não entrais, nem deixais entrar os que estão entrando!". Aqui começa a série de "ais", profunda expressão de pesar e anúncio incontestável de um juízo que se abateria sobre os líderes religiosos do mal.

Escrever este capítulo está sendo muito difícil para mim. Orei e pedi a Deus que me torne um novo homem. Peço que você, que é pregador ou exerce função de liderança em alguma instituição religiosa, também ore e se arrependa. Não queira ser objeto dessa manifestação de lamento da parte de Cristo. Jamais ele expressou tanta ira no seu ministério!

Cristo chama os líderes religiosos do mal de "hipócritas". Por quê? Porque pode acontecer de o pregador ensinar sobre o que não vive, e jamais haver experimentado o poder de uma fé viva. Aqueles homens aparentavam ser o que não eram, mas Deus os conhecia. Charles Spurgeon escreveu:

> Que nunca sejamos sacerdotes de Deus junto ao altar e filhos de Belial fora das portas do tabernáculo. Ao contrário, como diz Nazianzenzo sobre Basílio, "trovejemos em nossa doutrina e relampeguemos em nossa conversação. Afinal de contas, a nossa mais veraz obra de edificação deve ser realizada com as nossas mãos; o nosso caráter tem que ser mais persuasivo do que o nosso falar".[12]

CRISTO E OS LÍDERES RELIGIOSOS DO MAL | **187**

Os escribas e fariseus cometiam o crime grave de fazer oposição a Cristo e ao seu evangelho. Eles não conheciam o Messias, ignoravam sua mensagem e impediam pessoas de entrarem no reino dos céus. Não consigo conceber pecado mais grave que este: ajudar uma pessoa a se tornar membro de uma instituição religiosa mas, ao mesmo tempo, afastá-la do caminho da salvação.

Líderes religiosos fecham a porta do reino dos céus quando não anunciam a Cristo. Obviamente, esse erro grave não se resume a negar literalmente a Cristo, mas esvaziar a palavra de Cristo do conteúdo que o evangelho lhe empresta, levando pessoas a se relacionarem com um falso Cristo. Qual Cristo que está sendo proclamado? O que nasceu de uma virgem? O eterno Filho de Deus? O que viveu sem pecado? O que morreu pelas nossas iniquidades? O que nos salvou pelo seu sangue? O que nos chama para imitá-lo? Aquele cuja ética não ignora os sofredores? O que ressuscitou? O que subiu aos céus? O que retornará para julgar os vivos e os mortos?

Líderes religiosos fecham a porta do reino dos céus quando pregam a Bíblia mas não pregam o evangelho. Fato é que igrejas podem virar escola de boas maneiras, com horas e horas gastas com pregação sobre moralidade. Fala-se sobre sexo, dinheiro, drogas e família, mas não se ouve falar sobre o sangue que foi derramado para a expiação dos nossos pecados.

Pessoas envergam sob o peso de uma moral que enlouquece. Não há aquela suavidade de mente que resulta da compreensão da justiça imputada pela fé, que conduz ao comportamento espontâneo e alegre. Quantas pessoas em nossas igrejas estão familiarizadas com a seguinte — espantosa e perigosa — afirmação do apóstolo Paulo?

188 | AZORRAGUE

Porventura, ignorais, irmãos (pois falo aos que conhecem a lei), que a lei tem domínio sobre o homem toda a sua vida? Ora, a mulher casada está ligada pela lei ao marido, enquanto ele vive; mas, se o mesmo morrer, desobrigada ficará da lei conjugal. De sorte que será considerada adúltera se, vivendo ainda o marido, unir-se com outro homem; porém, se morrer o marido, estará livre da lei e não será adúltera se contrair novas núpcias.

Romanos 7.1-3

Os membros das nossas igrejas sabem que não estamos mais casados com a Lei? Que, se casarmos com Cristo, a Lei não pode nos chamar de "adúlteros"? Foi ensinado a eles que, quando erramos, pecamos contra o amor e não contra a Lei? Será que eles sabem que a Lei não pode mais nos ameaçar? Minha fidelidade agora é a Cristo e não à Lei. Saí do casamento que não me era conveniente. A Lei, senhora terrível, pedia de mim o que não podia dar. Ela era lembrança diuturna dos meus pecados até que conheci um novo amor. O pedido de divórcio foi inevitável. Contudo, não estou em adultério. A minha morte pôs fim à relação que eu mantinha com a Lei.

Martyn Lloyd-Jones faz o seguinte comentário sobre esse resumo extraordinário do evangelho, feito pelo apóstolo Paulo:

A situação de todos nós é, por natureza, que somos para a Lei o que a mulher é para o seu marido; que, se o marido morre, a mulher está liberada para casar-se com outro homem. [...] Tudo o que ele está preocupado em mostrar é que só a morte pode terminar a antiga relação. [...] A nossa relação antiga com a Lei terminou; e, como veremos, terminou por causa da ocorrência de uma morte. [...] Em que sentido [...] o cristão está morto para a Lei? Tomo a liberdade de lembrá-los de

CRISTO E OS LÍDERES RELIGIOSOS DO MAL | **189**

que neste contexto a Lei é a Lei moral de Deus, as exigências morais de Deus à humanidade. Temos um perfeito sumário dela nos Dez Mandamentos. [...] Não estamos mais "debaixo" dela (Lei) como aliança de obras. Não estamos mais na situação de tentar salvar-nos, justificar-nos e habilitar-nos a nós mesmos para podermos comparecer à presença de Deus pela observância da Lei.[13]

Jesus prossegue: "Ai de vós, escribas e fariseus, hipócritas, porque devorais as casas das viúvas e, para o justificar, fazeis longas orações; por isso, sofrereis juízo muito mais severo".[14] A igreja atrai pessoas fragilizadas. Muitos dos que se aproximam das instituições religiosas o fazem no momento de maior sofrimento. Despidos do que os protegia do contato com a realidade, face a face com a incapacidade humana de fazer frente às tragédias da vida e aflitos pelas perdas, buscam refúgio na igreja. Como o pastor deve lidar com essa gente sofrida, desconjuntada e ansiosa por encontrar consolo e direção?

A viúva é vista nas Escrituras como o símbolo da impotência humana. Podemos botar no lugar da viúva desempregados, endividados, pais com filhos que sofrem de dependência química ou enfermos, por exemplo. Cristo nos leva a pensar na relação do pastor com a mulher jovem que se encontra em estado de perplexidade pela perda súbita do homem que amava. Pode ser que ela se veja assustada por ter de lidar com questões que sempre estiveram sob os cuidados do marido. Há espaço para também pensarmos na viúva que está envelhecendo sozinha. Pode ser que esses líderes religiosos pedissem às viúvas que contribuíssem mais do que o que para elas era razoável aos fundos que estavam sob o controle dos escribas e dos quais eles podiam se utilizar. Talvez Cristo estivesse denunciando a prática dos escribas de se oferecerem para ajudar as viúvas a legalizar trâmites referentes a heranças que elas recebiam, tomando delas mais do que o justo. Quem sabe, lembra William Hendriksen, os escribas obtivessem desonestamente a ajuda material que havia sido oferecida inicialmente às viúvas?[15]

Cristo descreve a religião como a responsável pelo saque dos bens dessa viúva. Aqui, nos deparamos com o modo de atuação de inúmeros pregadores e lideranças religiosas de nossos dias. A desgraça humana é a sua oportunidade, porque as pessoas estão prontas a fazer o que lhes for proposto a fim de obter socorro divino. Ninguém se aproxima de Deus crendo na espécie de Deus que o evangelho proclama sem antes ter ouvido falar do evangelho. O conceito de graça não nos é inato. Em geral, pessoas pensam num Deus relutante em abençoar. Nada, creem, será obtido sem muito trabalho. Isso expõe à exploração o que, em meio aos seus sofrimentos, busca ajuda na igreja. Portanto, no momento de extrema vulnerabilidade em que, pela graça divina, se abre o coração para que o ser humano considere o seu Criador, entra essa figura lisa, malandra, cretina, para usar a dor a fim de "devorar as casas".

A malandragem do religioso não tem limite e nem pudor. Cristo o descreve dilapidando o patrimônio do necessitado por meio de um planejado espetáculo de religiosidade. Ele faz longas orações. Chora, levanta as mãos, fala em línguas estranhas, declara guerra aos demônios, profetiza um futuro róseo, para, em seguida, no momento do café, apresentar seus problemas financeiros pessoais ou os projetos da igreja que demandam verba. O tal fala da oferta em dinheiro como a grande manifestação de fé, que tornará Deus propício ao que espera por um milagre. O malandro

CRISTO E OS LÍDERES RELIGIOSOS DO MAL | **191**

também força pessoas a tomar decisões sem que estejam no melhor da sua condição mental e emocional.

Esses homens serão julgados severamente por Deus. Podem terminar seus dias de modo dramático, experimentando na alma e no corpo o juízo divino. Conheço casos de líderes cujos sofrimentos que atravessaram em vida trouxeram profundo temor aos que tomaram conhecimento dos seus maus feitos. Sabe-se, contudo, de homens que foram poupados em vida dos crimes que praticaram em nome da fé. Quanto a esses, o alerta de Cristo é claro: Deus não os poupará. Eles não escaparão da condenação final.

Ficam aqui importantes lições para quem trabalha em uma instituição religiosa. Seja autêntico. Não transforme culto e oração em espetáculo piegas de falsa espiritualidade. Jamais se utilize da confiança que seres humanos depositam no chamado "servo de Deus" a fim de se comportar como servo do diabo. Não explore a desgraça humana. Não seja canalha. Que todo aquele que abrir a porta de casa para você, por pensar que estará recebendo um cordeiro, não esteja na realidade recebendo um lobo.

Nunca conduza ninguém a tomar decisões sérias na vida no pior da sua condição emocional, por mais que o faça delicadamente. Ajude as pessoas a se levantarem, adquirirem autonomia e não desenvolverem dependência psicológica em relação a você. Ofereça de graça as bênçãos de Deus. Em hipótese alguma fale dos seus problemas financeiros para pessoas emocionalmente abaladas, que estabeleceram recentemente vínculo de afeto com você e que confiam totalmente no que diz. Use esse afeto para aproximá-las de Cristo.

Não force o pobre a dar o que não tem. Quer que o pobre oferte à igreja o que lhe fará falta? Faça o seguinte:

dê tudo o que você tem, abra mão do salário da igreja, não comunique a ninguém seu passo de fé e, depois de ter tirado a trave da ganância dos seus olhos, vá cuidar do cisco lançado pelas agruras da vida que impede o que sofre de enxergar melhor.

Ao entrar nas casas das viúvas, ofereça ajuda financeira a elas. Crie um fundo para socorrê-las. Que as famílias humildes da igreja prosperem por meio da aplicação dos princípios cristãos às suas vidas. Nada de dar o que não tem a fim de, por meio de um passe de mágica, ascender socialmente. Fomente a cultura da educação e do trabalho duro. Edifique as casas, em vez de devorá-las. Pare de esbanjar o dinheiro da igreja.

O alerta de Cristo é solene: "sofrereis juízo muito mais severo". A pior condenação está reservada para aqueles que exploram o necessitado. Isso é pior do que político desviar verba pública, pois envolve a traição da confiança do necessitado, e o nome santo de Deus. Estou familiarizado com o texto que fala da oferta da viúva pobre (Mc 12.41-43), por isso, deixemos o pobre ser generoso (em geral, ele costuma ser mais generoso do que o rico). Contudo, usar passagem como essa para explorar o necessitado e arrancar a fórceps o que deve ser oferecido com espontaneidade é vigarice.

Deformações morais causadas pela própria igreja

Jesus seguiu em seu sermão: "Ai de vós, escribas e fariseus, hipócritas, porque rodeais o mar e a terra para fazer um prosélito; e, uma vez feito, o tornais filho do inferno duas vezes mais do que vós!". Cristo era um observador atento das práticas religiosas do seu tempo. Esse capítulo o revela analisando tudo: nada escapa, e por razões óbvias.

CRISTO E OS LÍDERES RELIGIOSOS DO MAL | **193**

A felicidade humana, o destino eterno dos homens e a glória de Deus estavam envolvidos. Deus sabe o que se passa nas entranhas da religião.

Chamava a atenção de Cristo o zelo proselitista dos escribas e fariseus. Todos empenhados em aumentar o número de adeptos da sua linha religiosa. Observe que sua meta não era fazer o reino de Deus se expandir, mas, sim, mostrar a superioridade das suas ideias e de seus métodos e ter um nome por meio de crescimento numérico. Esse fervor eclesiológico-partidário, por assim dizer, pode fazer que pastores realizem façanhas: "rodear o mar e a terra!".

Esse ardor pelo crescimento da igreja ocorre, especialmente, quando a inveja se faz presente, quando há alguém com quem o líder da igreja compete e a identidade do grupo a que pertence é forjada a partir do ódio que nutre pelos que foram elevados à condição de inimigos. A instituição se transforma, assim, em máquina de fazer afiliados. A mobilização é completa. A agenda da semana é tomada por atividades que seguem um programa bem definido, visto como estratégia infalível para o aumento do rol de membros. Portanto, zelo evangelístico, grandes eventos, expansão do espaço do templo ou explosão de grupos pequenos não são sinais de que uma obra da graça divina está em curso na vida da igreja. Como explicar um fato como esse?

Cristo diz que essa máquina eclesiástica de impressionante eficiência pode estar a serviço do diabo: "o tornais filho do inferno duas vezes mais do que vós!". Seus convertidos revelam uma adesão apaixonada às suas ideias, capaz de suplantar em dobro, nos seus efeitos, o que aprenderam com os seus líderes eclesiásticos. Esse fenômeno chamava a atenção de Cristo. Ele podia observar o zelo irrefletido do recém-convertido. Jesus provavelmente percebia que muitos deles se transformavam em testas de ferro dos seus líderes, fazendo o jogo sujo que seus pastores não estavam dispostos a fazer, mas que vibravam que fosse feito no lugar deles. As ofensas proferidas contra ministros do evangelho nas redes sociais, sem que aqueles que as fazem sejam admoestados por seus pastores têm me levado a crer na presença dessas testas de ferro no seio da igreja. Não sei como não temem a Deus! Igrejas dedicadas a formar filhos do inferno!

Pessoas podem se tornar piores do que jamais foram após botar os pés na igreja. As enfermidades internas da igreja podem fazer que sofram contágio de doenças que não existem do lado de fora das instituições religiosas. Cristo fez essa denúncia, ao alertar que gente estava sendo deformada dentro das sinagogas.

A religião tem suas tentações peculiares. Pense num homem cruel, que encontrou justificativa teológica para a sua maldade, e que julga que Deus se agrada das ações criminosas que pratica. Ele é capaz de matar o Messias. A crueldade religiosa é intensa e sem freio. O fanático religioso vem para matar, roubar e destruir — tudo em nome do seu conceito de divindade, que o faz crer que ele não está matando, está apenas extirpando da terra o mal; que ele não está roubando, está apenas usando os recursos de Deus que o diabo roubou; que ele não está destruindo, está apenas lutando pela reforma da sociedade e da igreja.

É difícil controlar esse pastor, convencido de que está fazendo o certo. O líder religioso do mal lerá este livro, mas fará contraponto a cada declaração que o condene, usando versículos bíblicos para o justificar. Não tenho esperança de que aquilo que estou escrevendo o ajude. Essa gente matou Cristo. Penso nos verdadeiros servos de Deus,

CRISTO E OS LÍDERES RELIGIOSOS DO MAL | **195**

que, ao ouvirem tão graves advertências de Cristo, oferecerão a Deus um ministério mais santo.

Deixe-me apresentar-lhe um teste, a fim de que você saiba de que lado está: o capítulo que estamos analisando o faz tremer? Se não faz, provavelmente a religião o transformou num obstinado, cuja maldade é irrefreável, uma vez que, aos seus olhos, Deus aprova tudo o que faz. O que significa ser tornado duplamente filho do inferno? Como acontece? Quais os efeitos? Pense no que já vimos até aqui, nessa análise sobre os conflitos de Cristo com as instituições religiosas. Procure trazer à memória tudo o que deixava o Senhor Jesus indignado, a ponto de ele direcionar às instituições religiosas as mensagens mais duras. Pensando à luz do que vimos até aqui e também a partir do que vivi nesses anos de envolvimento com as igrejas protestantes brasileiras, mencionaria algumas deformações morais causadas pela própria igreja.

Primeiro, *a trivialização do sagrado*. Usar o nome de Deus em vão, brincar com o culto, transformar o momento litúrgico em espetáculo de auditório. Isto é, entreter o não convertido, deixando de alimentar o que crê. Há muita preocupação com música, mas menosprezo pela pregação. Ali compareçem cantores mais qualificados para cantar do que pregadores qualificados para pregar. Não deixa de ser também ato de profanação do nome santo de Deus manter toda a estrutura da igreja por meio de lavagem de dinheiro. E o que dizer sobre a interrupção da adoração a fim de fazer subir ao púlpito um político profissional? Como se isso não bastasse, ainda lhe passa o microfone, expondo a igreja a um festival de pieguice e hipocrisia da parte de quem se converte de quatro em quatro anos.

Segundo, *o menosprezo ao pobre*. Acreditar numa teologia que seca as lágrimas, usando a doutrina da soberania de Deus para justificar a incapacidade de se comover com a miséria de milhões de seres humanos. Isso é maturidade? Esse é o modo reformado de ler jornal? Esses tristes homens seguem a teoria político-econômica tida como a solução para a miséria do mundo que impede o cristão de fazer mutirão na favela da esquina por achar ingênuo.

Terceiro, *a indiferença com a causa da justiça*. Essa é outra doença contagiosa e maligna presente em muitas igrejas e denominações. Não são poucos os que julgam que o cristão deve se preocupar apenas com a justificação pela fé, mas não com a prática da justiça. Dizem que a missão precípua da Igreja é evangelizar, mas não indagam sobre o que esperam ver sair lá na ponta como resultado de seus esforços evangelísticos: homens ou androides? Apáticos e inertes ou sedentos e famintos por justiça? Covardes ou valentes? Pacientes eternamente enfermos ou soldados no campo de batalha?

Percebe-se na vida de muitos um silêncio absoluto face às mais graves violações de direito. Os tais enxergam a vida em termos de "lei e ordem", que os levam a abrir mão da liberdade em nome da segurança, a chamar violação de direito de efeito colateral do combate ao crime, a tolerar presídios transformados em locais de tortura. Em geral, esses homens defendem causas que não os expõem ao risco de sofrer retaliações. Num país injusto como o Brasil, é sintomático a igreja ter tão poucos membros perseguidos por causa da justiça.

Percebe-se no discurso de muitos líderes eclesiásticos a presença de forte influência ideológica, que milita contra a integridade do Palavra de Deus. Eles constroem toda

CRISTO E OS LÍDERES RELIGIOSOS DO MAL | **197**

uma teoria do Estado com base apenas em Romanos 13. Para eles, o Estado serve somente para descer a espada sobre os desviantes; porém, não fazem perguntas sobre os motivos do desvio. Creem em responsabilidade pessoal, mas não creem em culpa coletiva. Não indagam sobre quem vigia os vigias, e, por isso, passam papel em branco para os agentes de segurança pública, tornando-se condescendentes com a prática do abuso de autoridade. São céticos com relação ao povo: "Essa gente não entrará nos eixos sem mão de ferro que as comande!". Mas são ingênuos em relação ao rei: "Precisamos de um governo forte, que não tenha suas ações limitadas pela democracia, nem pelos defensores dos direitos humanos".

Estou falando de uma linha ideológica, presença predominante no país por força da influência de parte da cultura religiosa do norte das américas. Tim Keller descreve algumas das principais características da direita religiosa americana:

> A direita religiosa fez uso intenso do conceito de cosmovisão e também da noção de "transformação da cultura", mas conectaram essas ideias diretamente à ação política de apoio às diretrizes conservadoras [...] a filosofia política da direita acreditava que os impostos deviam ser baixos, o estado, encolhido para favorecer o setor privado e o indivíduo, e as Forças Armadas, expandidas.[16]

Essa corrente predomina hoje em diferentes setores do protestantismo brasileiro. A crença nesse modelo de sociedade tem sido apresentada como fundamento da comunhão cristã. Usar o evangelho para sancioná-la e impedir quem pensa diferente de encontrar espaço na igreja para viver sua fé é absurdo.

Essa associação entre bandeira de partido político e igreja fechou o coração de milhões de americanos para o que a igreja diz. Da mesma forma, no Brasil, o apoio cego a partidos políticos de esquerda, a tentativa de síntese entre cristianismo e marxismo, o engajamento político-social às expensas do compromisso com temas éticos inegociáveis para a fé cristã tornaram o ar irrespirável para muitos crentes, rotulados de conservadores e neoliberais por aqueles que se deixaram cooptar por esse outro filho da modernidade — antagônico ao cristianismo em muito do que ensina.

Guias cegos

Jesus prosseguiu em seu sermão:

> Ai de vós, guias cegos, que dizeis: Quem jurar pelo santuário, isso é nada; mas, se alguém jurar pelo ouro do santuário, fica obrigado pelo que jurou! Insensatos e cegos! Pois qual é maior: o ouro ou o santuário que santifica o ouro? E dizeis: Quem jurar pelo altar, isso é nada; quem, porém, jurar pela oferta que está sobre o altar fica obrigado pelo que jurou. Cegos! Pois qual é maior: a oferta ou o altar que santifica a oferta? Portanto, quem jurar pelo altar jura por ele e por tudo o que sobre ele está. Quem jurar pelo santuário jura por ele e por aquele que nele habita; e quem jurar pelo céu jura pelo trono de Deus e por aquele que no trono está sentado.

Uma pessoa espiritualmente cega traz desgraça para a própria vida. Um guia espiritualmente cego traz desgraça para a vida da igreja. Nenhuma metáfora poderia descrever de modo mais claro, simples e dramático quanto um ministério não convertido pode fazer a igreja errar. Ele não enxerga, mas se propõe a dirigir a vida das pessoas. Ele não conhece o amor de Deus, mas pede que as pessoas cantem. Ele não sabe interpretar as Escrituras, mas requisita

CRISTO E OS LÍDERES RELIGIOSOS DO MAL | **199**

que as pessoas o ouçam. Como a ignorância é ousada! Cristo descreve essa igreja caminhando para o desfiladeiro por seguir homens que não sabem para onde vão.

O processo rápido de ascensão a cargo de liderança é responsável por igrejas inteiras serem conduzidas por homens sem discernimento espiritual. Pode ser um grande comunicador, mas jamais esteve no conselho de Deus. Talvez seja um excelente administrador, mas é um péssimo pastor. Capaz de ter um vasto conhecimento teológico, mas fala sobre o que nunca viu. Com isso, caminha para a sua própria destruição, pois qual não será a revolta dos liderados quando virem que foram levados à destruição de sua família, à perda dos seus melhores anos de vida, da prática dos erros mais grosseiros por terem se deixado dirigir por um desvairado?

Cego só pode guiar cego. Quem vê percebe a alucinação. Como é grande a responsabilidade, portanto, dos cristãos mais maduros perante aqueles que anseiam por exercer o ministério da pregação numa igreja local. A forma como esse candidato ao sagrado ministério administra sua vida revela que ele enxerga?

Por ser um embotado, o líder religioso do mal vive na cegueira, desorientado, sem saber se conduzir no universo da realidade espiritual, que requer sabedoria. Observe que o Senhor Jesus fala nessa passagem de uma espécie de mal que é próprio do mundo da religião. Ateus e agnósticos estão poupados dessas preocupações e de formas religiosamente sofisticadas de enganar pessoas.

Cristo ressalta claramente dois pontos: primeiro, usar o nome de Deus em vão ao cometer o crime de perjúrio. Segundo, elevar à condição de valor supremo dinheiro e oferta. Nesse sentido, jurar pelo santuário desobrigava a consciência da palavra que empenhou, mas que jamais tencionou cumprir, enquanto apelar para o ouro do santuário tornava a pessoa sob obrigação de declarar a verdade e cumprir o que prometera.[17] Tudo isso fizera com que se estabelecesse uma cultura de malandragem religiosa difícil de ser detectada. Como não acreditar naquela fala mansa, naqueles olhos lacrimejantes, naquelas orações comoventes? J. C. Ryle fez um importante comentário sobre essa passagem:

> Eles estabeleciam sutis distinções entre um tipo de juramento e outro. Eles seguiam o mesmo ensino mais tarde defendido pelos jesuítas de que alguns juramentos tinham de ser cumpridos, outros não. Eles atribuíam maior importância aos juramentos feitos "pelo ouro" oferecido ao templo do que aos juramentos "pelo templo" propriamente dito. Dessa forma, desprezavam o terceiro mandamento e, promoviam os seus próprios interesses, quando faziam os homens superestimarem o valor dos donativos e ofertas. Isso também era um grande pecado.[18]

Cristo está furioso: "Insensatos e cegos!". Não fique escandalizado. Pense nos caminhos tomados por milhões de seres humanos que seguiram na escuridão esses celerados. Pense na quantidade de inverdades ensinadas. Pense na sistematização da mentira, que, por meio de hermenêutica enviesada, apresentou fundamento bíblico para o cruel, o desumano, o diabólico. Por que eles são chamados de insensatos e cegos? À luz do capítulo que estamos examinando, porque eles não sabiam mensurar os valores espirituais. Não sabiam a diferença entre o santuário completo (ou não queriam saber) e o ouro do santuário, entre o altar e a oferta, entre a terra e o céu e Deus.

CRISTO E OS LÍDERES RELIGIOSOS DO MAL | **201**

Vejo todos os dias, na vida de cristãos das mais diferentes denominações, essa incapacidade de hierarquizar doutrinas e preceitos éticos. Nem todas as doutrinas têm o mesmo valor, nem todos os valores morais têm o mesmo peso. Essas questões são centrais. O que vem primeiro? O que é princípio absoluto? O que é aplicação relativa de princípio absoluto? O que santifica o quê? Como são seletivos nas causas que abraçam! Pense nos debates sobre propriedade privada e miséria, Estado policial e Estado de bem-estar social, lei e ordem e modelos de sociedade solidários, aplicação da sanção penal e dignidade humana, politicamente correto e liberdade de expressão.

Jesus considerou os escribas e os fariseus tapados e tolos porque estimulavam as pessoas a pecar, mentir e se eximir das suas responsabilidades usando o que de mais sagrado existe na vida: o nome santo de Deus. *Não use a religião para enganar pessoas*, diz a mensagem de Cristo: "Quem jurar pelo santuário jura por ele e por aquele que nele habita; e quem jurar pelo céu jura pelo trono de Deus e por aquele que no trono está sentado". Tudo o que fazemos é feito perante aquele que "no trono está sentado". Fazendo o quê? Mantendo a respiração do que mente. Cristo nos chama para em tudo considerar a majestade, a glória e o poder daquele que abomina o pecado, e que não terá como inocente o que usa o sagrado para ocultar o profano.

A igreja de justiça, misericórdia e fidelidade

A explanação de Cristo vai adiante: "Ai de vós, escribas e fariseus, hipócritas, porque dais o dízimo da hortelã, do endro e do cominho e tendes negligenciado os preceitos mais importantes da Lei: a justiça, a misericórdia e a fé; devíeis, porém, fazer estas coisas, sem omitir aquelas! Guias cegos, que coais o mosquito e engolis o camelo!". Acabamos de penetrar no âmago da contenda de Cristo com as práticas religiosas dos seus dias.

Que declaração! O que falar sobre as instituições religiosas à luz de uma denúncia como essa? Não há dúvida de que as quatro paredes da igreja não impedem a presença do mundo entre a vida dos seus membros. Perdição dentro e fora.

Entendo que o que Cristo está dizendo poderia ser parafraseado da seguinte forma: "Lamento profundamente por vocês. O que os aguarda os levaria ao desespero se pudessem contemplar hoje. Sua hipocrisia a todos será manifesta. Vocês não enganarão para sempre. E saberão que brincaram com o que não deviam". Aqui, digo eu: "Menos ruim teria sido se tivessem feito do lado de fora da igreja tudo o que fizeram. Ainda é tempo de serem menos pilantras. Tirem o disfarce, deixem as ovelhas em paz e dirijam-se para o mundo dos lobos, onde vocês não terão coragem de fazer contra eles o que vocês fazem contra os que lhes prestam o respeito que é devido aos mensageiros de Deus".

Não tenho esperança para a maioria deles. Escrevo para os ministros fiéis, que tremem diante de tais palavras, lembrando-me do profeta Jeremias:

> Mas nos profetas de Jerusalém vejo coisa horrenda; cometem adultérios, andam com falsidade e fortalecem as mãos dos malfeitores, para que não se convertam cada um da sua maldade; todos eles se tornaram para mim como Sodoma, e os moradores de Jerusalém, como Gomorra. Portanto, assim diz o Senhor dos Exércitos acerca dos profetas: Eis que os alimentarei com absinto e lhes darei a beber água venenosa; porque dos profetas de Jerusalém se derramou a impiedade

CRISTO E OS LÍDERES RELIGIOSOS DO MAL | **203**

sobre toda a terra. Assim diz o Senhor dos Exércitos: Não deis ouvidos às palavras dos profetas que entre vós profetizam e vos enchem de vãs esperanças; falam as visões do seu coração, não o que vem da boca do Senhor . Dizem continuamente aos que me desprezam: O Senhor disse: Paz tereis; e a qualquer que anda segundo a dureza do seu coração dizem: Não virá mal sobre vós. Porque quem esteve no conselho do Senhor, e viu, e ouviu a sua palavra? Quem esteve atento à sua palavra e a ela atendeu?

Jeremias 23.14-18

Qual forma a igreja assume quando é conduzida por esses celerados? Observa-se uma meticulosidade moral dedicada ao irrelevante. Uma preocupação em ser mais justo do que Deus. No exemplo mencionado por Cristo, pegaram o princípio da contribuição, essencial para a manutenção do templo, e criaram uma legislação detalhista capaz de fazer as pessoas exigirem de si mesmas o que Deus não exigia.[19]

As instituições religiosas podem funcionar a partir de uma lógica de compra de proteção, por meio da qual paga-se alguma coisa, evita-se o mais custoso e recebe-se como retorno o que se busca em Deus. Dar o dízimo é mais fácil que doar a vida. Seguir a justiça, a misericórdia e a fé custa caro. Eles ofereciam a hortelã, Deus pedia a justiça. Eles ofereciam o endro, Deus pedia a misericórdia. Eles ofereciam o cominho, Deus lhes pedia a fé.

Pense na quantidade de práticas presentes na vida de muitas igrejas que Deus ficaria satisfeito em ver serem substituídas pela prática da justiça, da misericórdia e da fé. A antítese não era entre manter o templo e a prática do que de mais importante existe na Lei. Eles não deveriam ser omissos na contribuição. O que eles não poderiam fazer é brincar com os céus, praticando o irrelevante que a

Lei jamais pediu, a fim de se desobrigarem do inegociável que a Lei reiteradas vezes exige dos homens.

Aqui está o vetor para todas as atividades da igreja. O trabalho de púlpito, os congressos, as classes de escola dominical, as canções, os livros, a formação dos pastores e líderes ou o que for devem ter como objetivo formar cristãos justos, misericordiosos e fiéis.

Não há problema em a igreja continuar afirmando que nada é mais importante do que levar pessoas a Cristo, desde que a evangelização seja seguida por um discipulado sólido, que tenha como meta o modelo de santidade que forja no espírito humano o compromisso com a justiça, a misericórdia e a fidelidade.

Há fraquezas na vida da igreja que não impedem a igreja de ser Igreja. Uma igreja, porém, que ignora a injustiça, que não se compadece do que sofre e, com isso, não é fiel a Deus é sinagoga do diabo. Estou certo de que grande parte da membresia das mais diferentes igrejas do país não passa no teste da justiça, da misericórdia e da fidelidade.

Como seria a igreja da justiça, da misericórdia e da fidelidade? Afirmo, sem medo de estar errado, que teria estrutura completamente diferente da que vemos na maioria das igrejas. Pense nos ministérios, nas contratações de obreiros, nos investimentos financeiros, no conteúdo das pregações, nas metas anuais e na relação com a cidade se as igrejas brasileiras fossem norteadas pelos princípios da justiça, da misericórdia e da fé.

Como essas igrejas se relacionariam com as execuções extrajudiciais, com a prática de abuso de poder, com a exploração da mão de obra do povo trabalhador, com os modelos político-econômicos que desestimulam a solidariedade, com a formação de grupos de milicianos, com a

CRISTO E OS LÍDERES RELIGIOSOS DO MAL | **205**

falta de transparências dos gestores públicos? Sem a mínima dúvida, essas igrejas teriam seus mártires, seus perseguidos por causa da justiça e os seus torturados.

Se você, pastor, começar a tocar nesses temas, os que hoje ouvem suas mensagens não as ouvirão mais. Sua igreja mudará de perfil. Diria que será uma igreja de perturbados, subversivos e profetas. Questões éticas que você jamais imaginou serão levadas para dentro da igreja. Pense bem: essa igreja terá amor pela justiça! A classe política olhará para ela e dirá: "Essa gente é um perigo".

Não! Mil vezes, não! Você não politizará o púlpito! Não passará a maior parte do seu tempo falando sobre o que não estudou, mandando recado para a autoridade pública que o ignora. Você pregará o evangelho da cruz. Sua mensagem será o Cristo crucificado! Mas, ao falar sobre os efeitos dessa salvação, você não conseguirá deixar de falar sobre a justiça e as suas implicações. Se você levar a instituição eclesiástica que lidera a ter amor pela justiça, ela deixará de ser uma igreja de frouxos.

Permita-me usar um testemunho que serve de ilustração para o que quero ressaltar. Certamente, um dos exemplos mais comoventes de coragem da história da Igreja foi dado pelo teólogo alemão Dietrich Bonhoeffer. Em julho de 1939, ele enviou uma carta ao teólogo americano Reinhold Niebuhr, na qual expressava seu compromisso em combater um estado totalitário, quando podia evitá-lo, o que lhe custou a vida. Escreveu Bonhoeffer:

> Tive tempo para pensar e orar sobre a minha situação e a de meu país, e de ter a vontade de Deus esclarecida para mim. Cheguei à conclusão de que cometi um erro ao vir para a América. Preciso atravessar esse período difícil da nossa história nacional com o povo cristão da Alemanha. Eu não terei

direito a participar da reconstrução da vida cristã na Alemanha depois da guerra se não compartilhar as provações desta época com meu povo. Meus irmãos no Sínodo Confessante queriam que eu partisse. Eles talvez tivessem razão ao me pressionar, mas eu estava errado em partir. Uma decisão dessa cada homem deve tomar sozinho. Os cristãos na Alemanha enfrentarão a terrível alternativa de desejar a derrota da nação para que a civilização cristã possa sobreviver, ou desejar a vitória da nação e, assim, destruir a nossa civilização. Eu sei qual dessas alternativas tenho de escolher, mas não posso fazer essa escolha em segurança.[20]

Que exemplo! Se você levar a mensagem de Cristo a sério, a ponto de enfatizar a misericórdia, isso mudará sua política de plantação de igrejas, seu organograma, as habilidades que procura desenvolver nos membros da igreja e tantas outras coisas. Sua igreja visitará as favelas e os hospitais, construirá creches e seus membros abrirão ONGs.

Se você usar o púlpito para dizer que uma igreja sem misericórdia é sinagoga do diabo, prepare-se. Muito do que, hoje, a igreja faz perderá a relevância. Seu povo sairá em busca dos desesperados. Isso pode ter uma dimensão política? Sem a mínima dúvida! Quando os membros da sua igreja tiverem contato com o mundo da miséria real, descobrirão que há problemas sociais cuja solução vem por decisões políticas. Consequentemente, separe dinheiro para confeccionar cartazes, tempo para discipular lobistas do bem, salas para planejamento de ações subversivas, que terão como meta minar as estruturas do mal, usando as armas da democracia, da razão, da justiça e do direito. Você continuará do púlpito pregando a cruz e estimulando a busca da plenitude do Espírito Santo, mas também

CRISTO E OS LÍDERES RELIGIOSOS DO MAL | **207**

precisará de momentos para oferecer o enquadramento intelectual para o engajamento político cristão.

Esteja ciente de que a fidelidade terá seu preço a pagar. Praticar de modo cristão a justiça e a misericórdia significará sempre a igreja tornar-se objeto de contradição. Há um modo cristão de ver a vida. Há um modo cristão de agir e praticar a justiça e a misericórdia. Uma igreja fiel não estará a serviço do liberalismo ou do marxismo, dois filhos da modernidade. Você poderá usá-los como parâmetros para luta de direitos e análise social, contudo, como a modernidade (e as ideologias que ela gerou) não entrará em choque com uma fé que tem Cristo como Senhor do universo, a escravidão do homem ao pecado como fato inquestionável, a dignidade humana como valor central, o retorno de Cristo como sua mais profunda esperança, a oferta do evangelho da justificação pela fé como sua missão precípua, a crença em valores morais absolutos como autoevidente, a noção de certo e errado como intrínseca à natureza humana?

Ser guiado por cegos significa seguir quem não sabe para onde vai. Um cego se oferecer como guia é atrevimento. Ninguém conseguir perceber que a igreja está sendo malconduzida é sinal de completa obtusidade espiritual. Igrejas de cegos guiando cegos jamais cumprem o propósito para o qual foram edificadas.

As igrejas que perderam o senso de proporção moral revelam ser guiadas por líderes cegos: "Guias cegos, que coais o mosquito e engolis o camelo!". Há o que a Bíblia considera mosquito. Há o que a Bíblia considera camelo. Estar tão entretido com o mosquito a ponto de ignorar o camelo é sinal de falência ética da igreja. Quem olha de fora questiona como essa gente é capaz de fazer tanto barulho por tão pouco e manter-se silente sobre temas da mais alta gravidade.

Mais uma vez, julgo oportuno citar Bonhoeffer, e seu ataque à falsa consciência e à igreja que induz os membros à retirada para uma "virtuosidade particular":

> Tais pessoas não roubam, não matam, não cometem adultério, mas realizam o bem de acordo com suas capacidades. Mas [...] lhes é preciso fechar os olhos e ouvidos para a injustiça em torno delas. Somente a custo do autoengano elas conseguem manter sua inculpabilidade provada limpa das manchas da ação responsável no mundo. Em tudo o que façam, o que falham em fazer não irá deixá-las sossegar. Elas serão ou destruídas pelo desassossego, ou hão de se tornar os mais hipócritas de todos os fariseus.[21]

O que Bonhoeffer teria a dizer sobre o comportamento dos evangélicos brasileiros, que convivem pacificamente com as mais graves violações de direito do mundo? O que faz uma igreja coar mosquito e engolir camelo? Jesus declara que *a pregação* e *o exemplo da liderança* são as principais causas desse comportamento tragicômico. Sim, tragicômico. Quem olha para dentro da igreja é levado a dizer: "Chega a ser engraçado observar a conduta dessa gente estranha".

Se o púlpito não é a trombeta que toca em Sião, a igreja se manterá aferrada à vantajosa prática de preocupar-se com o que pouco lhe custa a fim de se eximir do compromisso com o que muito lhe custaria se fosse igreja de verdade. O profeta é quem desmascara essa imensa hipocrisia. Mas qual profeta sobrevive num mundo como esse?

O púlpito também pode permitir que ocorra a síntese entre cristianismo e correntes de pensamento filosófico e ideologias políticas. Essas visões de mundo podem levar a

CRISTO E OS LÍDERES RELIGIOSOS DO MAL | **209**

igreja a coar mosquito e engolir camelo. Por exemplo, indo para outro campo de implicações éticas do cristianismo. Ao buscar a simetria nas minhas preocupações morais, penso que não podemos permitir que influência ideológica de espécie alguma nos impeça de dizer que não são mosquitos a santidade do embrião humano, a ideologia de gênero que tenta obliterar a distinção que as Escrituras fazem entre o homem e a mulher, a desconstrução do conceito cristão de família, a tentativa de, em nome da justiça social, propor a abolição da propriedade privada dos meios de produção, a tendência a buscar homogeneidade social que elimine as diferenças de classe que — com justiça — emergem naturalmente das diferenças de talento e produtividade.

Manter-se fiel às Escrituras, portanto, terá o efeito de levar os cristãos a encarnarem os princípios dialéticos do cristianismo. A igreja fiel muitas vezes se sentirá só no mundo.

Moralismo e hipocrisia

Jesus prossegue: "Ai de vós, escribas e fariseus, hipócritas, porque limpais o exterior do copo e do prato, mas estes, por dentro, estão cheios de rapina e intemperança! Fariseu cego, limpa primeiro o interior do copo, para que também o seu exterior fique limpo!". O contato com a instituição religiosa remete-nos para o mundo das elevadas expectativas morais. A coerção social sempre presente na sociedade pode se tornar imensa dentro da igreja. Não que tenha de ser assim. Percebe-se, porém, que relações humanas nesses ambientes costumam não ser mediadas pelo evangelho, cuja compreensão da mensagem torna-nos mais misericordiosos, pacientes e humildes.

O evangelho nos faz sentir compaixão pelo cristão que pecou. Pensamos na vergonha, na tristeza, na perda da reputação, na destruição da família, na deposição da função ministerial, no arrependimento e nas oportunidades perdidas dos que pecaram gravemente e nos pomos no seu lugar. O evangelho nos faz ser longânimos, porque ele lança luz sobre as nossas próprias fraquezas morais, levando-nos a saber que somos o que somos porque Deus é paciente. O evangelho nos faz ser humildes em relação aos que tropeçaram. Sabemos que, se não fosse o cuidado divino, estaríamos em seu lugar.

Como a pura pregação do evangelho com suas consequências práticas para a comunhão da igreja é algo raro, deparamos com ambientes profundamente moralistas, nos quais espera-se que pessoas se comportem como anjos. Não são poucas as igrejas cuja cultura religiosa está eivada dos cárceres morais criados pela própria sociedade. Uma pressão, portanto, pode ser exercida sobre a vida dos seus membros a ponto de eles viverem obsessivamente preocupados com o exterior do "copo" e do "prato" enquanto o coração está cheio de "rapina" e "intemperança".

Acontece que "rapina" e "intemperança" vazam. Percebe-se que a pressão moral não mediada pelo evangelho faz que ela se volte contra os próprios membros da igreja. É comum encontrarmos gente profundamente religiosa cometendo as transgressões mais sem controle. Cristo destaca no farisaísmo do seu tempo a tendência ao roubo, a falta de domínio próprio e pessoas privando as outras do que lhes era de direito. Interessante também observar, num mundo de muito controle social, muita intemperança.

Estudar a Bíblia sem a mediação do evangelho é uma desgraça. O evangelho nos protege do mau uso da Bíblia. A graça nos protege da Lei. Cristo nos protege de Moisés. Púlpitos que trovejam moralismo, em vez de proclamar a

CRISTO E OS LÍDERES RELIGIOSOS DO MAL | **211**

verdade evangélica que liberta, tendem a criar ambientes profundamente artificiais, nos quais reinam a hipocrisia que fere, uma vez que não se esperava ser ferido pelo que aparentava tanta santidade.

Cristo chama os escribas e fariseus para um modelo de espiritualidade cuja sede é o coração. O interior deveria estar limpo, a fim de o comportamento representar a livre expressão da propensão da alma. É profunda cegueira, declara Cristo, julgar que é possível manter a saúde de uma igreja sem que a vida cristã seja vista como inevitável pelo crente — por ser bela, santa e justa.

Se pensarmos no que significa essa limpeza interior, do ponto de vista do que o Senhor Jesus está ensinando nessa passagem, chegaremos à conclusão de que essa pureza é fruto do amor a Deus e ao próximo, que faz o crente a ninguém defraudar e manter o autocontrole. Não glorifica a Deus ter comportamento de ave de rapina e de fera dirigida pelos instintos. Buscar não representar ameaça à vida do próximo e desejar o controle das próprias ações significa viver como homem recriado pela graça santificadora.

Não há limpeza interior sem o evangelho. Ele nos reconecta a Deus, nos torna membros do Corpo de Cristo, nos faz receber da fonte do Espírito Santo, nos emancipa da compulsão que a Lei desperta, nos apresenta o perdão que nos põe novamente de pé. Após esse encontro redentor, estamos habilitados a praticar o cultivo do coração. Livres da legislação de Moisés, vivendo sob o novo governo de Cristo, podemos nos dedicar à limpeza interior. O Espírito Santo a cada dia nos recria, tornando-nos parecidos com Cristo, despertando-nos para novos prazeres, fazendo-nos ter novas ambições, usando-nos para trazer vida aos homens e proporcionando alegria ao coração de Deus. Como escreveu Paulo:

> Porque, quando vivíamos segundo a carne, as paixões pecaminosas postas em realce pela lei operavam em nossos membros, a fim de frutificarem para a morte. Agora, porém, libertados da lei, estamos mortos para aquilo a que estávamos sujeitos, de modo que servimos em novidade de espírito e não na caducidade da letra.
>
> Romanos 7.5-6

Não há, no entanto, santificação sem esforço. As Escrituras não nos ensinam que ela cai do céu sobre nós, antes, trata-se de obra divino-humana. O que nos cabe fazer? Os grandes santos de Deus deram o seguinte testemunho sobre como, progressivamente, cresceram em santidade: oravam, estudavam as Escrituras, participavam dos cultos de adoração da igreja, cantavam hinos de louvor, tomavam a ceia do Senhor, criavam hábitos santos, liam as biografias dos grande servos de Deus do passado, buscavam a comunhão com os irmãos na fé, meditavam sobre a beleza da vida cristã, faziam a carne passar fome, mantinham-se vigilantes por estarem plenamente cônscios da batalha espiritual.

Sepulcros caiados

Mateus continua em seu registro das palavras de Cristo: "Ai de vós, escribas e fariseus, hipócritas, porque sois semelhantes aos sepulcros caiados, que, por fora, se mostram belos, mas interiormente estão cheios de ossos de mortos e de toda imundícia! Assim também vós exteriormente pareceis justos aos homens, mas, por dentro, estais cheios de hipocrisia e de iniquidade".

CRISTO E OS LÍDERES RELIGIOSOS DO MAL | **213**

Cristo nos chama a atenção mais uma vez para a ameaça que as instituições religiosas representavam para a vida de qualquer pessoa que com elas mantivesse contato. Pense no que significa lidar com "sepulcros caiados, que, por fora, se mostram belos". Há uma tendência de lidarmos de modo desarmado com essa gente. Elas se mostram limpas, belas e justas. Nós as ouvimos, as introduzimos dentro de casa, colocamos nossos bens em suas mãos, confessamos a elas nossos segredos. Queremos estar ao seu lado. Contudo, a contaminação é inevitável, Cristo declara, e o risco de sermos traídos na nossa sinceridade é real.[22]

Você olha para aquela imensa assembleia: mãos levantadas, canto em voz alta, olhos ao céu e Bíblias nas mãos e não acredita no que tudo aquilo é capaz de ocultar. Na superfície, é um espetáculo impressionante. No interior da alma, "ossos de mortos", "toda imundícia", "hipocrisia" e "iniquidade". Cristo dizia, em outras palavras: "Deixe-me mostrar quem são esses que dirigem a vida espiritual de Israel. Olhar para o coração dessa gente é como olhar para dentro de uma sepultura aberta. Sob esse monumento, vocês encontrarão o absolutamente repugnante".

A Igreja não foi levantada por Deus para passar pá de cal na vida das pessoas. Sua grande meta não consiste em tornar castos os devassos, abstêmios os ébrios, adeptos da moral vigente os desviantes, mas levar homens e mulheres a terem a vida de Deus na alma. Ela não pode se dar por satisfeita por ter pessoas batizadas, arroladas como membros, frequentando a escola dominical e participando do grupo pequeno se esse envolvimento com a igreja não for consequência direta do envolvimento com o próprio Deus.

Nesse sentido, é essencial que a mensagem do arrependimento seja proclamada. Igrejas sepulcros caiados nascem de pregação que convida infelizes para serem felizes, em vez de clamar com autoridade que pecadores se arrependam. Portas de entrada abertas demais representarão sempre templos cheios de gente vazia do Espírito Santo.

Essa igreja terá o louvor dos homens, mas não a aprovação divina, afirma o Senhor Jesus. Quem olha de fora observa o espetáculo litúrgico e as denúncias feitas contra os pecados de sempre. Há muita fala sobre sexo, tabaco e álcool e nada sobre justiça, misericórdia e fé.

Não é por acaso que estar nessas igrejas faz-nos sentir o odor da sepultura aberta. Em suma, constata-se muita preocupação por parte dos seus membros em corresponder às expectativas humanas, sem nenhuma preocupação em aborrecer a hipocrisia e fugir da iniquidade.

É quando Jesus diz:

> Ai de vós, escribas e fariseus, hipócritas, porque edificais os sepulcros dos profetas, adornais os túmulos dos justos e dizeis: Se tivéssemos vivido nos dias de nossos pais, não teríamos sido seus cúmplices no sangue dos profetas! Assim, contra vós mesmos, testificais que sois filhos dos que mataram os profetas. Enchei vós, pois, a medida de vossos pais. Serpentes, raça de víboras! Como escapareis da condenação do inferno?

As instituições religiosas costumam matar seus melhores homens. Seus líderes abominam ser confrontados com os seus erros e, se alguém denuncia o absurdo que praticaram, os consideram desleais, rebeldes, traidores. É muito difícil para os membros da igreja descobrirem que os tais são uma fraude. Mas Deus envia seus profetas, homens profundamente sensíveis às iniquidades de sua geração, que veem o que ninguém enxerga. Angustia-lhes ter

CRISTO E OS LÍDERES RELIGIOSOS DO MAL | **215**

interlocução com poucos membros da igreja. Sua vida costuma ser solitária. Os conflitos internos que enfrentam não são compreendidos pelos que os cercam. Por isso, quando se levantam para bradar contra o pecado, o fazem de uma forma que a todos causa indignação.

Porém, sem esses a igreja se deforma. São as figuras mais perturbadoras, excêntricas e encantadoras que existem. Habacuque disse: "Pôr-me-ei na minha torre de vigia, colocar-me-ei sobre a fortaleza e vigiarei para ver o que Deus me dirá e que resposta eu terei à minha queixa. O Senhor me respondeu e disse: Escreve a visão, grava-a sobre tábuas, para que a possa ler até quem passa correndo" (Hc 2.1-2). Jeremias falou: "Persuadiste-me, ó Senhor, e persuadido fiquei; mais forte foste do que eu e prevaleceste; sirvo de escárnio todo o dia; cada um zomba de mim. Porque, sempre que falo, tenho de gritar e clamar: Violência e destruição! Porque a Palavra do Senhor se me tornou um opróbrio e ludíbrio todo o dia" (Jr 20.7-8). Miqueias afirmou: "Eu, porém, estou cheio do poder do Espírito do Senhor, cheio de juízo e de força, para declarar a Jacó a sua transgressão e a Israel, o seu pecado" (Mq 3.8). Homens dos quais o mundo não era digno!

Na história de Israel, foram massacrados. O curioso é observar que, após alguns anos, as gerações futuras são encontradas reverenciando a sua memória. Declaram não entender como puderam ser tão pouco compreendidos, e condenam o tratamento que receberam por parte das gerações anteriores. A grande contradição consiste em essas mesmas pessoas tratarem os profetas do presente do mesmo modo que as igrejas do passado trataram os profetas do seu tempo.

Cristo percebe essa incoerência e chama a atenção das multidões e dos seus discípulos para o seguinte fato: esta geração não é diferente da geração dos seus pais. Ela faz o que sempre condenou na história de Israel. Com a diferença de que, agora, querem matar o próprio Filho de Deus. Os filhos dos que mataram os profetas estavam tramando a morte do Messias. E, na época de Cristo e em nossos dias, só um milagre fará os líderes religiosos em trevas darem boas-vindas à luz do sol.

Aqueles homens estavam enchendo a medida dos seus pais. O que faziam podia ser comparado a um rio de ira que estava prestes a transbordar. Pregadores que irrefletidamente usam o nome de Deus caminham passo a passo para serem julgados. Qual será o fundamento do julgamento? Essas pessoas serão julgadas pelas próprias palavras. Elas condenam Judas Iscariotes, mas se comportam como o traidor. Elas condenam os sofrimentos que os protestantes do século 16 sofreram ao fazerem o resgate da mensagem do evangelho, mas, hoje, condenam quem anela pela reforma do protestantismo.

Cristo usa palavras duríssimas, que deveriam levar pastores e líderes a repensarem o modo como lidam com o sagrado. Cristo os têm como asquerosos, traiçoeiros e venenosos. Não escaparão da condenação eterna. Não haverá quem os defenda. Em que consistirá o julgamento? Eles abafaram a voz da verdade a fim de usar a instituição religiosa em proveito próprio.

Quando a igreja sufoca a voz da verdade? Sempre que age para forjar um Cristo que não existe, usar o nome de Cristo a fim de desviar as pessoas do Cristo real, negar a inspiração da Bíblia, distorcer o conteúdo da Palavra. Também sufoca a verdade quando o pregador ensina

CRISTO E OS LÍDERES RELIGIOSOS DO MAL | **217**

seletivamente, tornando-se conhecido pelo que pregou perante uma igreja incapaz de reconhecer aquilo sobre o que ele não pregou. E, por fim, quando mata os profetas, desqualificando o trabalho desses perturbados, altissimamente sensíveis, capazes de extrair do amplo conteúdo da verdade o que a sua geração mais precisa escutar.[23]

Exemplo constante na história da Igreja

Jesus continua em seu sermão:

> Por isso, eis que eu vos envio profetas, sábios e escribas. A uns matareis e crucificareis; a outros açoitareis nas vossas sinagogas e perseguireis de cidade em cidade; para que sobre vós recaia todo o sangue justo derramado sobre a terra, desde o sangue do justo Abel até ao sangue de Zacarias, filho de Baraquias, a quem matastes entre o santuário e o altar. Em verdade vos digo que todas estas coisas hão de vir sobre a presente geração.

Até o fim dos tempos, Deus levantará quem sirva de porta-voz da sua mensagem. Deus não cessa de enviar trabalhadores para a sua seara. Ele levanta profetas, homens com impressionante capacidade de discernir as principais iniquidades e os desvios teológicos de sua época, a fim de proclamar a verdade que precisa ser especialmente ouvida. Ele levanta sábios: homens dotados da capacidade de aplicar o conhecimento às questões mais importantes do momento. Ele levanta escribas: homens habilitados a fazer exposição sólida das Escrituras. A luz é acesa. Contudo, os próprios membros da igreja não podem suportá-la. Cristo apresenta a igreja perseguindo seus melhores homens.[24]

Cristo descreve os que perseguem os santos sendo julgados juntamente com todos aqueles que, por odiarem a verdade, mataram os mensageiros de Deus. Serão julgados todos os que não viram excelência nos santos que Deus enviou para reformar a igreja e serão julgados porque menosprezaram a verdade — logo, ignoraram a Deus.

A história de Jerusalém serve de alerta às igrejas, cidades e nações que reprimiram a verdade:

> Jerusalém, Jerusalém, que matas os profetas e apedrejas os que te foram enviados! Quantas vezes quis eu reunir os teus filhos, como a galinha ajunta os seus pintinhos debaixo das asas, e vós não o quisestes! Eis que a vossa casa vos ficará deserta. Declaro-vos, pois, que, desde agora, já não me vereis, até que venhais a dizer: Bendito o que vem em nome do Senhor!

Um Cristo profundamente comovido é visto expressando seu pesar pela cidade santa. Aquela que, como nenhuma outra cidade do mundo, recebera durante séculos tanta luz, culminando na presença do próprio Messias. Jerusalém, símbolo da cidade dedicada à religião, curiosamente está entre as mais sangrentas da história da humanidade. Até hoje, é dividida por motivos religiosos.

A cidade que recebeu mais luz foi justamente a que mais matou homens de Deus. Aqui, Cristo revela o propósito da pregação e, consequentemente, o que sempre anelou fazer pela vida do seu povo, ao enviar-lhe seus mensageiros. A meta da pregação é levar os seres humanos a buscar abrigo, aconchego e proteção em Deus. Fora da comunhão com Deus o que resta é o frio, o medo, o desamparo. Qual lugar pode ser mais desejável para se viver do que abrigado sob as asas de Deus?

Jerusalém rejeitou ser cidade sob o cuidado divino e acabou destruída, no ano 70, pela espada do general romano

CRISTO E OS LÍDERES RELIGIOSOS DO MAL | **219**

Tito. O que Deus fez com a cidade santa serve como advertência aos que, hoje, brincam com a Igreja:

No dia 8 do mês judaico de Av, no fim de julho do ano 70 da Era Cristã, Tito, filho do imperador Vespasiano, no comando do cerco de Jerusalém que já durava quatro meses, ordenou a seu exército que se preparasse para invadir o templo ao amanhecer. O dia seguinte era a data em que os babilônios tinham destruído Jerusalém mais de 500 anos antes. [...] Dentro dos muros, talvez meio milhão de famélicos judeus sobreviviam em condições diabólicas. [...] Tito [...] ordenou que o templo fosse incendiado. [...] Em volta dos muros, ocorriam cenas dantescas que deviam parecer o inferno na terra. Milhares de corpos apodreciam ao sol. O mau cheiro era insuportável e cães e chacais banqueteavam-se com carne humana.

Nos meses anteriores, Tito mandara crucificar todos os prisioneiros ou desertores. Quinhentos judeus eram crucificados por dia. Eram tantas cruzes no monte das Oliveiras e nos morros escarpados ao redor da cidade que quase não havia mais onde enfiá-las, nem madeira para construí-las. Os soldados de Tito divertiam-se pregando as vítimas com os membros esticados nas posições mais absurdas. Muitos dos hierosolimitas (moradores de Jerusalém), no desespero da fuga, engoliam suas moedas ao sair da cidade como forma de esconder sua riqueza, a qual esperavam recuperar quando estivessem a distância segura dos romanos. Reapareciam mais adiante "inchados de fome e intumescidos como homens vitimados pela hidropisia", mas se comessem qualquer coisa "arrebentavam em pedaços". Quando as barrigas explodiam, os soldados encontravam lá dentro seus fétidos tesouros intestinais, e assim passaram a estripar sistematicamente todos os prisioneiros.

[...] No fim de junho, os romanos invadiram a volumosa fortaleza Antônia que comandava o templo e a demoliram. [...] Em meados do verão, quando os empolados e pontudos morros faziam brotar florestas de cadáveres crucificados cobertos de moscas-varejeiras, a cidade central viva atormentada por uma sensação de perdição iminente, por um fanatismo intransigente, por um sadismo caprichoso e por uma fome que a todos consumia. Bandos armados vagavam à procura de alimentos. Crianças tiravam migalhas das mãos dos pais, mães roubavam seus bocados dos próprios bebês. Portas trancadas sugeriam a existência de provisões escondidas e os guerreiros arrombavam-nas, enfiando estacas no reto de suas vítimas para obrigá-las a revelar onde ocultavam seus depósitos de grãos [...].

A caça às bruxas destroçava Jerusalém, com pessoas denunciando umas às outras por acumulação e traição. Nenhuma outra cidade, refletiu Josefo, testemunha ocular, "jamais permitiu tanto sofrimento, nem houve outra época que produzisse uma geração mais fértil em perversidade do que essa, desde o começo do mundo". [...] Pessoas morriam enquanto tentavam sepultar parentes, e outras eram enterradas de qualquer jeito, ainda respirando. A fome devorava famílias inteiras em suas casas. [...] os que pereciam mantinham "os olhos fixos no templo".

Uma ricaça chamada Maria, tendo perdido todo o dinheiro e toda a comida, ficou tão desvairada que matou e assou o próprio filho, comendo metade e deixando o resto para depois. [...] charlatães delirantes e hierofantes pregadores assombravam as ruas, prometendo a redenção e a salvação.

[...] Os judeus, vendo as chamas lamberem o Santo dos Santos [no templo] e ameaçando destruí-lo, "lançaram um grande clamor e correram para impedir". Mas era tarde demais. Formaram uma barricada humana no pátio interno e ficaram observando num silêncio horrorizado. [...] Tito, incapaz de conter o incêndio e certamente aliviado pela perspectiva da vitória final, atravessou o templo em chamas até chegar ao Santos dos Santos. Mesmo o sumo sacerdote só tinha permissão para entrar lá uma vez por ano. Milhares de civis e rebeldes

CRISTO E OS LÍDERES RELIGIOSOS DO MAL | **221**

aglomeraram-se nas escadas do altar, dispostos a lutar até o fim ou esperando a morte inevitável. Todos tiveram o pescoço cortado pelos eufóricos romanos, como se fosse um sacrifício humano em massa, até "os corpos se amontoarem em volta do altar", com o sangue a escorrer pelos degraus.

Cerca de 10 mil judeus morreram no templo incendiado. [...] O monte Moriá, uma das duas montanhas de Jerusalém, onde o rei Davi colocara a Arca da Aliança, e seu filho Salomão construíra o primeiro templo, "fervia de calor, totalmente tomado pelo fogo", enquanto lá dentro os corpos mortos cobriam os assoalhos. Mas os soldados pisoteavam os cadáveres em seu triunfo. Os sacerdotes resistiram ferozmente, alguns se atirando nas labaredas. Os alvoroçados romanos, vendo o templo destruído, apoderavam-se do ouro e dos móveis, carregando seu butim, antes de atearem fogo aos demais edifícios.

Enquanto o pátio interno ardia e a manhã seguinte raiava, os rebeldes sobreviventes escaparam através das linhas romanas, passando pelos labirínticos pátios exteriores e enfiando-se pela cidade. Os romanos contra-atacaram com a cavalaria, removendo os insurgentes e incendiando as salas do tesouro do templo, repletas das riquezas provenientes dos impostos do templo que todos os judeus pagavam, de Alexandria à Babilônia. Ali encontraram 6 mil mulheres e crianças amontoadas em apocalíptica expectativa. Um "falso profeta" tinha proclamado que eles poderiam prever os "sinais miraculosos de sua redenção" no templo. Os legionários simplesmente atearam fogo nos corredores, queimando todas elas vivas.

Os romanos levaram sua águia para a Montanha Sagrada, fizeram sacrifício aos seus deuses e aclamaram Tito como seu *imperator* — comandante-chefe. Ainda havia sacerdotes refugiados em volta do Santos dos Santos. Dois se jogaram nas chamas, e um conseguiu sair com os tesouros do templo [...] quando os demais se renderam, Tito os executou.

Quando a cidade caiu, os romanos e seus auxiliares sírios e gregos [...] massacraram indiscriminadamente todas as pessoas que encontravam e incendiaram as casas com os que nelas se refugiavam. À noite, quando a matança parou, "o fogo tomou conta das ruas".

[...] os combatentes foram mortos, os mais fortes, mandados ao Egito para trabalhar nas minas; os jovens e bonitos, vendidos como escravos para serem mortos lutando com leões no circo ou exibidos no Triunfo.

[...] Tácito diz que havia 600 mil na cidade sitiada, enquanto Josefo fala em mais de um milhão. Seja qual for a cifra verdadeira, o fato é que foi enorme, e todas aquelas pessoas morreram de inanição, foram assassinadas ou vendidas como escravas.

Tito [...] assistiu a milhares de prisioneiros judeus morrerem lutando uns contra os outros e contra animais selvagens. [...] Poucos dias depois, viu mais 2.500 serem mortos no circo em Cesareia Marítima; e muitos outros ainda foram jocosamente abatidos em Beirute antes de Tito voltar a Roma para comemorar seu triunfo.

As legiões "demoliram completamente o resto da cidade e derrubaram seus muros". Tito deixou apenas as torres da cidadela de Herodes "como monumento à sua boa sorte". Ali a Décima Legião fez o seu quartel-general. "A isso foi reduzida Jerusalém", escreveu Josefo, "outrora uma cidade de grande magnificência e de formidável fama em toda a humanidade".[25]

Naqueles dias, Jerusalém estava rejeitando o Messias, recusando-se a receber, ouvir e amar o Filho de Deus. Consequentemente, Cristo declarou que Deus abandonaria Jerusalém. Nunca mais a cidade de Davi veria o Messias, exceto no seu retorno em glória. Israel estava perdendo para sempre a honra de povo escolhido a fim de ser luz para a humanidade.[26]

Esse exemplo é visto constantemente na história da Igreja: seus membros se apartam de Deus e o candeeiro que iluminava a cidade é retirado, deixando seus moradores entregues às trevas. É difícil olhar hoje para a Europa, por exemplo, e não perceber os sinais desse julgamento. Cidades inteiras privadas de "profetas, sábios e escribas". Muita ciência, tecnologia e prosperidade, mas casas e ruas carentes da alegria que há em Cristo.

Que não cometamos esse pecado contra o Brasil.

CAPÍTULO 5

Cristo e o grande pecado da religião

Propôs também esta parábola a alguns que confiavam em si mesmos, por se considerarem justos, e desprezavam os outros: Dois homens subiram ao templo com o propósito de orar: um, fariseu, e o outro, publicano. O fariseu, posto em pé, orava de si para si mesmo, desta forma: Ó Deus, graças te dou porque não sou como os demais homens, roubadores, injustos e adúlteros, nem ainda como este publicano; jejuo duas vezes por semana e dou o dízimo de tudo quanto ganho.

O publicano, estando em pé, longe, não ousava nem ainda levantar os olhos ao céu, mas batia no peito, dizendo: Ó Deus, sê propício a mim, pecador! Digo-vos que este desceu justificado para sua casa, e não aquele; porque todo o que se exalta será humilhado; mas o que se humilha será exaltado.

Lucas 18.9-14

O ORGULHO É UM SENTIMENTO que vem do inferno. A tudo contamina, destrói e perverte. Ele faz que vejamos Deus e os homens devedores a nós. Também nos torna ultrassensíveis às ofensas humanas e propensos a nos sentirmos injustiçados por Deus. O orgulho — também conhecido por seus sinônimos: arrogância, altivez, soberba — nos faz raciocinar da seguinte forma: "Como essa pessoa é capaz de ignorar alguém tão bom como eu? Como Deus pode ser tão injusto com alguém tão bom como eu?". A guerra contra Deus e os homens é inevitável na vida do orgulhoso. "A falta de castidade, a raiva, a avareza, a bebedice e tudo o mais são meras fichinhas em comparação: foi pelo orgulho que o diabo se tornou diabo; o orgulho leva a todos os outros vícios — trata-se do estado de mente completamente contrário a Deus",[1] escreveu C. S. Lewis.

O orgulho é o pecado mais irracional. Pense em tudo o que acabamos de ver. Como explicar uma pessoa passar pelos textos que examinamos sem se sentir humilhada? De onde vem esse descompasso entre o que ela pensa que é e o que ela de fato é? Lembremo-nos da parábola do bom samaritano. Como não correr para Cristo em busca de compaixão após tomarmos conhecimento da sua definição de amor misericordioso? Quem ama com aquele nível de excelência? Quem não gostaria de ser amado com aquele nível de excelência? Quem pode negar a beleza daquele nível de amor? O teólogo inglês William Ames escreveu: "O orgulho é uma afeição desordenada pela própria excelência".[2]

O início do relato de Lucas deixa claro que Deus conhece aqueles que a religião tornou soberbos: "Propôs também esta parábola a alguns que confiavam em si mesmos...". Nessa passagem, o Senhor Jesus trata do orgulho religioso, que é o pior de todos os tipos de orgulho. Orgulho religioso é cegueira completa. Enquanto o ateu e o agnóstico encontram-se cegos e distantes da luz, o religioso orgulhoso encontra-se cego perante a luz. Enquanto o ateu e o agnóstico negam Deus, sua Palavra e a existência de valores morais absolutos, o religioso orgulhoso afirma Deus, sua Palavra e a existência de valores morais absolutos. Enquanto o ateu e o agnóstico são movidos a se tornarem soberbos pela sua visão de mundo, o religioso

CRISTO E O GRANDE PECADO DA RELIGIÃO | **227**

orgulhoso é movido a tornar-se humilde em razão da sua visão de mundo.[3] Enquanto o ateu e o agnóstico sentem--se aprovados pelo juiz que ocupa o assento do tribunal da sua consciência — ele próprio —, o religioso orgulhoso sente-se aprovado pelo juiz que ocupa o assento do tribunal da sua consciência — Deus.

O que significa confiar em si mesmo? O religioso auto-confiante acredita que sua vida passou pelo teste dos dois grandes mandamentos. Ele analisou o mandamento de amar a Deus e ao próximo, examinou sua vida à luz das implicações práticas de ambas as tábuas da Lei e se sentiu aprovado. Ele crê que ama a Deus com todo o seu ser e ao próximo como a si mesmo, que sua vida é uma vida de adoração e serviço perfeitos, que nunca foi ingrato com Deus e jamais ignorou a dor do próximo. É como se Deus olhasse para ele e dissesse: "Ninguém tem mais amor por mim do que você", enquanto o próximo lhe declarasse: "Sei que por amor a mim você é capaz de abrir mão do que lhe fará falta".

Em seu livro sobre os dez mandamentos, o puritano inglês Thomas Watson apresenta uma definição do mandamento de amar a Deus capaz de fazer qualquer coração sensível cair de joelhos:

> Qual o resumo dos Dez Mandamentos? O resumo dos Dez Mandamentos é amar o Senhor nosso Deus [...] e ao próximo como a nós mesmos. O que é o amor? É um fogo santo que acende nossas afeições, por meio do qual o cristão é fortemente movido a buscar a Deus como o supremo bem. O que antecede o amor a Deus? O que antecede o amor a Deus é o entendimento. O Espírito brilha sobre o entendimento, e revela as belezas da sabedoria, santidade e misericórdia em Deus; e esses são os ímãs que atraem e dirigem o amor a Deus.

Em que consiste a natureza formal do amor? A natureza do amor consiste em se deleitar no objeto. *Complacentia amantis amato* (O deleite do amante no seu amado)[4] [...]. Isso é amar a Deus, se deleitar nele [...]. Como nosso amor deve ser qualificado? Se ele for sincero, nós amaremos a Deus com todo o nosso ser [...] Deus terá todo o nosso coração. Nós não podemos dividir nosso amor entre ele e o pecado [...] nós devemos amar a Deus *propter se,* por ele mesmo, pelas suas próprias intrínsecas excelências. Nós devemos amá-lo pela sua amabilidade [...]. Os hipócritas amam a Deus porque ele lhes dá milho e vinho: nós devemos amar a Deus por ele mesmo [...] nós devemos amar a Deus com toda a nossa força [...] o amor a Deus deve ser ativo em sua esfera.

Amar é afeição industriosa; o amor põe a cabeça para estudar para Deus, as mãos para trabalhar, os pés para correr nos caminhos dos seus mandamentos. Isso é chamado de o trabalho do amor. Nós costumamos pensar que nunca fizemos o suficiente pela pessoa que amamos [...] o amor a Deus deve ser superlativo. Deus é a essência da beleza, o paraíso completo do deleite; e ele deve ter prioridade no nosso amor. [...] Nós devemos amar a Deus acima do Estado e relacionamentos. Grande é o amor nos relacionamentos. Há uma história na Academia Francesa, de uma filha, que, quando seu pai foi condenado a morrer de fome, deu a ele que sugasse o leite do seu próprio seio. Mas, o nosso amor a Deus deve ser maior do que o amor por pai e mãe. [...] Nosso amor a Deus deve ser constante [...] o amor dever ser como o movimento do pulso, o qual bate enquanto há vida.[5]

É claro que são graves e profundas as consequências práticas do orgulho. É sobre elas que Jesus quer falar por meio dessa parábola. Em primeiro lugar, essa pessoa confia em si mesma por se considerar justa. Sendo assim, espera da vida o que somente o justo tem direito de esperar. O orgulhoso espera ter suas orações ouvidas. A Lei promete

CRISTO E O GRANDE PECADO DA RELIGIÃO | **229**

que assim o seria. Ele espera passar pela vida sem precisar ser objeto da disciplina divina. Ele não crê ter do que ser disciplinado e apenas espera herdar o reino dos céus. A Lei promete vida eterna aos que amam.

O orgulhoso não conhece o sentido da experiência de convicção de pecado. Não sabe o que significa Deus se apressar em revelar a sua graça ao culpado a fim de que seus terrores de consciência não o façam sucumbir. Esse arrogante jamais tomou a ceia clamando: "Pai santo, como do pão na esperança de que o Senhor me alimente de Cristo. Sinto-me moralmente muito vulnerável. Pai santo, tomo do vinho na esperança de que o Senhor aplique o sangue de Cristo na minha consciência. Tenho me sentido muito abatido pelo que percebo dentro do meu coração".

O evangelho não é boa nova para o orgulhoso. Ele jamais temeu receber a notícia de que sua vida não agrada a Deus, de que ele está sob o juízo divino e merece ser banido da presença de Deus. A cruz não o comove. Ele não entende o sentido do doce convite: "vinde a mim todos os que estais cansados e sobrecarregados". Ele jamais sentiu esse cansaço ou sobrecarga. A Lei nunca o oprimiu. Ele olha para o monte Sinai pegando fogo e não se apavora com as chamas. Nunca clamou: "desventurado homem que sou!".

O orgulhoso arrogante observa friamente a profunda manifestação do amor por Cristo da pecadora que entrou na casa do fariseu e nada entende:

> E eis que uma mulher da cidade, pecadora, sabendo que ele estava à mesa na casa do fariseu, levou um vaso de alabastro com unguento; e, estando por detrás, aos seus pés, chorando, regava-os com suas lágrimas e os enxugava com os próprios cabelos; e beijava-lhe os pés e os ungia com unguento.
>
> Lucas 7.37-38

O religioso orgulhoso desconhece o universo da gratidão pelos pecados perdoados. Seu Deus é o seu Criador, não o seu redentor. Cristo é o seu mestre, não o seu salvador. O Espírito Santo é o seu bajulador, não a luz que o faz correr para Cristo em busca de perdão.

O orgulhoso estuda os livros de história geral e não se percebe nas guerras e desgraças que os homens causaram aos homens. Crê não fazer parte desse mundo, pois não enxerga a relação entre a forma como vive e as injustiças da vida. Se todos vivessem como ele, o mundo viveria a sua utopia, acredita.

O conceito de pecado de omissão não ocorre ao religioso arrogante e ele não percebe que é responsável pelas prisões superlotadas, pelas favelas onde crianças são vítimas de bala perdida, pelos hospitais públicos nos quais o idoso pobre perece, pelas escolas públicas que não conseguem manter em sala de aula o adolescente que vive na miséria. Se Deus tiver de julgar Sodoma e Gomorra, esse homem dirá que desconhece sua participação nos pecados dos demais homens e que o conceito de responsabilidade coletiva é estranho a seu sistema de valores.

É impossível o orgulhoso religioso não correr dos relacionamentos humanos: "e desprezavam os outros", afirma Lucas. Como o orgulhoso haverá de lidar com o próximo? Ele tem Deus como alguém que está em débito com ele. Há uma tendência, portanto, de não esperar ser contrariado pela vida. Nem pelos homens. O religioso arrogante acredita que ninguém tem o direito de contrariá-lo, por isso coleciona desafetos, de quem se considera sempre a vítima.

O religioso empedernido não conhece o estado de alma daquele que se levanta da oração após o recebimento do perdão. Ele não consegue estender ao outro a misericórdia que ele mesmo recebeu de Cristo.

CRISTO E O GRANDE PECADO DA RELIGIÃO | 231

O conceito da palavra "pecado" não lhe é oculto e ele o percebe claramente — porém, na vida dos outros. O arrogante da religião odeia quanto a maldade humana tornou mais difícil a vida na cidade onde mora. Ele se manifesta pelas redes sociais desancando a corrupção, os roubos, a má qualidade dos serviços públicos. Vive aborrecido pelo convívio com tanta gente complicada dentro da igreja. Tudo o irrita profundamente e, por ele, Deus desceria fogo do céu. A paciência divina o irrita.

Quem não reconhecer a retidão do religioso orgulhoso sempre será objeto da sua raiva. Ele não se surpreende de ser tratado bem, porém, não é verdadeiramente estimado pelas pessoas. Até mesmo seus filhos têm outras referências morais na vida. Sem mencionar sua mulher, que gostaria de estar casada com um homem melhor. Os membros da sua igreja não demonstram interesse em ouvi-lo. Por tudo isso, ele está em guerra com todos. Vale citar mais uma vez C. S. Lewis:

> Quanto mais orgulhosa for uma pessoa, mais ela detesta o orgulho nas outras. Na verdade, se você quiser descobrir quanto é orgulhoso, a forma mais fácil de fazê-lo é perguntar-se: "Quanto eu detesto quando outras pessoas me inferiorizam ou se recusam a me dar atenção, ou dão palpite, ou são condescendentes comigo, ou são exibidas"? O ponto em questão é que o orgulho de cada pessoa está concorrendo com o orgulho de todos os demais.[6]

Justiça própria

O caminho da cura do orgulho religioso começa com a percepção da doença. Cristo quer salvar os perdidos da religião ajudando-os a conhecerem a si mesmos e a Deus. Mais uma vez, o Senhor Jesus usa uma parábola, que nos traz lições de vida e morte: "Dois homens subiram ao templo com o propósito de orar: um, fariseu, e o outro, publicano".

Voltamos a Jerusalém. A cidade-igreja. Nela, estava o magnífico templo, na iminência de ser destruído. Ali, o Criador invisível tornava-se fenomenologicamente visível. Para aquele local se dirigiram dois seres humanos que viviam distintamente e em busca de respostas diferentes às suas orações. Um sobe confiante, sorridente, saudando gente pelo caminho. O outro teme entrar no santuário, por se sentir indigno.

Lá estavam eles, andando em direção ao templo a fim de falar com Deus. O movimento das pernas era suprido pela energia do Deus a quem recorriam. A léguas de distância dali, pagãos matavam seus filhos para comprar a proteção dos deuses, homens e mulheres cultuavam animais, adoradores falavam com a Lua e o Sol. Eles, por sua vez, subiam ao templo.

A questão que se impõe neste relato é: como aquele que não habita em templos feitos por mãos humanas quer que os homens se dirijam a ele? Vemos nessa parábola duas atitudes possíveis, duas formas de se dirigir ao templo, dois modos de entrar numa igreja, duas concepções da vida, duas formas de se dirigir a Deus.

"O fariseu, posto em pé, orava de si para si mesmo, desta forma: Ó Deus, graças te dou porque não sou como os demais homens, roubadores, injustos e adúlteros, nem ainda como este publicano; jejuo duas vezes por semana e dou o dízimo de tudo quanto ganho". Mais uma vez, devemos nos lembrar de que, muito embora a parábola se baseie provavelmente no que Jesus testemunhara nos seus dias, tudo o que consta nessa história foi deliberadamente criado por Cristo. Sendo assim, é de suma importância que, à

CRISTO E O GRANDE PECADO DA RELIGIÃO | **233**

medida que avancemos na análise da parábola, indaguemos: por que o Senhor Jesus inseriu esse detalhe no que contou?

Chama-nos a atenção a postura do fariseu diante de Deus. Ele está em pé, orando de si para si mesmo. Não há nas Escrituras orientação quanto à postura física no ato de orar, nem quanto ao local apropriado, nem quanto a se deve ser audível ou não. Pode-se orar sentando, de joelhos, andando, escalando, escrevendo, nadando, pregando, arando, varrendo, lavando, enquanto se ouve, enquanto se pensa no que se vai responder, no templo, na montanha, na praia, na cama, na rua, no quarto. Mas, aqui, é muito evidente que a postura física e o comportamento do fariseu traduzem o seu estado de alma.

Jesus nos induz a crer que o fariseu estava num lugar no qual pudesse ser visto, olhando para o céu em atitude confiante e o movimento das mãos acompanhando o movimento da alma — cheia de justiça própria. O comentarista bíblico americano Simon Kistemaker escreveu:

> Dirigiu-se ao pátio externo, onde podia ser visto e ouvido pelos homens, porque o pátio interno era acessível apenas aos sacerdotes. Lá ele se postou e, olhando para os céus, orava a respeito de si mesmo. Sua oração estava centrada nele mesmo, e pretendia que todos, ao seu redor, a ouvissem.[7]

Talvez Cristo tivesse a intenção de permitir que enchêssemos as lacunas da história tomando como base as práticas farisaicas, tão conhecidas nas páginas dos quatro evangelhos. Joachim Jeremias tem ponto de vista parecido: "'Consigo mesmo' refere-se a 'estar em pé', pois a oração silenciosa não era costume, rezava-se antes em tom meio alto [...]. Deve-se, pois, traduzir: 'Ele se colocou

234 | AZORRAGUE

em posição visível e pronunciou a seguinte oração'".[8] William Hendriksen expressa a seguinte opinião:

> O fariseu assume sua postura com ousadia. Orar em pé, erguendo as mãos e os olhos, não era de forma alguma inusitado [...] exatamente onde, nesse complexo do templo, se põe o fariseu? Não somos informados, mas uma comparação com o versículo 13 pode indicar que ele se coloca o mais próximo possível do santuário real, com seu Lugar Santo e o Santo dos Santos. A quem ele se dirige? Exteriormente falando, ele se dirige a Deus, porquanto ele diz: "Ó Deus". Interiormente, porém, e realmente, o homem está falando de si a si mesmo. Além do mais, havendo mencionado Deus uma vez, ele não volta mais a citá-lo. Ao longo de toda sua oração, o fariseu se põe a congratular-se consigo mesmo.[9]

A oração vem carregada de certa dose de emoção: "Ó Deus". Há uma diferença entre a verdadeira emoção e a falsa emoção. Pessoas podem se emocionar diante de Deus por motivos diferentes. Existe a emoção cuja sede é a mente, existe a emoção cuja sede é o coração, existe emoção que passa pela mente sem atingir o coração, existe a emoção que passa pela mente e atinge o coração, existe a emoção baseada na tradição, existe a emoção baseada na ação do Espírito Santo. Esse "Ó" não é o "Ó" fruto da compreensão da graça de Deus revelada no evangelho. O Deus diante de quem ele diz "Ó" é o Deus Criador, mas não o Deus redentor; é o Deus justo, mas não o Deus paciente, misericordioso e gracioso. Esse "Ó" não é o "Ó" de quem esperava ser punido, mas foi perdoado. Não é o "Ó" de quem está no templo e olha para o cordeiro-profecia imolado pelo sacerdote, que apontava para o Cordeiro-Filho de Deus, que seria imolado pelo próprio Deus. Que entendamos uma coisa: esse "Ó" só faz sentido na vida

CRISTO E O GRANDE PECADO DA RELIGIÃO | **235**

daquele que contemplou a grandeza do amor gracioso de Deus que está em Cristo. Nenhum "Ó" metafísico pode se comparar ao "Ó" da humilhação evangélica. Uma coisa é o espanto filosófico, outra, a comoção espiritual. Uma coisa é se sentir humilde perante a grandeza do universo, outra é se sentir humilde perante a grandeza da Lei. Uma pessoa pode ser humilhada pela filosofia sem jamais ser humilhada pelo evangelho.

Aquele fariseu se dirige ao Deus verdadeiro. Ele não está num templo pagão; não está utilizando terminologia estranha ao Antigo Testamento; não está conversando com uma vaca, com o Sol ou com uma árvore. Nada disso, ele está praticando o principal exercício da fé: a oração. Há ações de graças na sua oração, elemento sempre presente nas orações do Antigo Testamento. O fariseu revela preocupações éticas. Quanta ortodoxia! Quanta forma! Quanta liturgia! Quanto um falso convertido pode ir longe na sua experiência da falsa conversão! Jonathan Edwards escreveu:

> O diabo se satisfaz fazendo que a adoração devida a Deus pelas multidões, com a intenção de ser-lhe um culto agradável e aceitável, seja acima de tudo abominável a Deus. Por esses meios, ele engana grandes multidões acerca do estado de sua alma, fazendo com que sintam que são alguma coisa quando não são nada; e assim faz com que sejam arruinadas eternamente; e não apenas isso, estabelece em muitas delas uma forte confiança em sua eminente santidade, embora sejam, aos olhos de Deus alguns dos hipócritas mais vis.[10]

O fariseu está encantado consigo mesmo e, por isso, louva. "Não sou como os demais homens"! Ele não se via em Adão. Quanto aos demais homens, estavam vivos apenas porque Deus o permitia, mas com vistas a lançá-los no *hades*. Eles precisavam se arrepender e apresentar seu sacrifício de arrependimento no templo. Ele não. Portanto, o homem está cheio de ações de graças e atribui a Deus o que lhe é devido: seu poder é o que nos impede de pecar! Imagine você vendo esse homem orar na igreja: "Sou o que sou pelo seu poder!", diria. Qual o problema de orar assim? Nenhum. Devemos atribuir a Deus o cumprimento da oração do Pai-nosso em nossa vida: "Não nos deixes cair em tentação". Ele não deixou. Então, louvado seja o seu nome!

O fariseu agradece a Deus por não estar positivamente envolvido com pecados absolutamente odiosos: roubar (apropriar-se do que pertence ao que devia ser amado por você), praticar injustiça (não dar ao próximo e a Deus o que lhes é devido), adulterar (magoar quem se sentirá traído por você). Não estar envolvido com essas iniquidades é motivo de gratidão a Deus. Não me apropriei de nada que pertencia ao próximo, busco manter com os homens relacionamento norteado pelas exigências da Lei e não conheço ninguém cuja família tenha sido arruinada por minha causa. Aquele homem se compara ao que havia aos seus olhos de pior na sociedade. Como a presença de ladrões, corruptos e pessoas que escorregam em sua sexualidade faz bem ao religioso que baseia sua relação com Deus em desempenho moral! É muito confortador se comparar a eles! Por isso que, quando Cristo surge, ele logo trata de matá-lo.

Acrescento à parábola as palavras que nela estão implicitamente contidas: "Deus, veja quem está mais adiante orando. Mal posso acreditar que esse publicano subiu ao templo. Não queria estar na pele desse filho de Belial. Imundo! Quanto mal essa gente tem causado ao seu povo! Vivem nos ameaçando caso não paguemos propina,

CRISTO E O GRANDE PECADO DA RELIGIÃO | 237

dizendo que se não o fizermos nos entregarão aos romanos. Não nos dão sossego, sempre encontrando uma forma de extorquir dinheiro. Esse cara é um ladrão! Enriqueceu com o suor do rosto do seu povo. Vive entre os gentios. Adúltero! Como consegue sexo fácil com o dinheiro que têm!".

Joachim Jeremias lembra que, no *Talmude*, consta uma oração do primeiro século que é muito parecida com a oração do fariseu:

> Eu te agradeço, Senhor, meu Deus, porque me deste parte junto daqueles que se assentam na sinagoga, e não junto daqueles que se assentam pelas esquinas das ruas; pois eu me levanto cedo para as palavras da Lei, e eles, para as coisas fúteis. Eu me esforço, eles se esforçam: eu me esforço e recebo a recompensa, eles se esforçam e não recebem recompensa. Eu corro e eles correm: eu corro para a vida do mundo futuro, e eles, para a fossa da perdição.[11]

Os motivos das ações de graças iam além. O fariseu era grato pelo *plus* da sua obediência. Afinal, cria viver uma vida mais santa do que a Lei exigia. "Jejuo duas vezes por semana e dou o dízimo de tudo quanto ganho". Jamais Deus pediu do seu povo dois jejuns semanais, nem mensais. Contudo, os membros da sua seita jejuavam toda segunda-feira e quinta-feira.

As ofertas daquele grupo também buscavam seguir padrão acima do prescrito pelo Antigo Testamento. A Lei estipulava que o dízimo devia ser pago sobre certas colheitas, mas eles dizimavam até mesmo as ervas do jardim.[12] Como disse Jesus: "Mas, ai de vós, fariseus! Porque dais o dízimo da hortelã, da arruda e de todas as hortaliças e desprezais a justiça e o amor de Deus; devíeis, porém, fazer estas coisas sem omitir aquelas". Hendriksen escreveu:

Em seu aspecto positivo, o fariseu menciona em sua oração algumas obras supererrogatórias que ele está realizando. Porventura não está ele fazendo muito mais do que a Lei determina? Esse homem não jejua apenas uma vez durante o ano, como sugere Levítico 16.29, ou apenas em determinados meses; não, ele jejua duas vezes por semana (provavelmente na segunda e na quinta-feira). E quando chega o dízimo, também nesse aspecto ele sobressai a todos, ia além das demandas da Lei (veja Dt 14.22-23). Ele paga o dízimo até mesmo dos vegetais (Lc 11.42).[13]

A gabação do fariseu e a humilhação do publicano

O que falar sobre esse santo fariseu que subiu ao templo para se gabar com Deus? Ele seria presbítero em muitas igrejas do Brasil. O que lhe faltava? O principal, aquilo que Deus espera de seres que fazem parte da espécie humana. Quando um anjo visita a terra e retorna, o que ele tem a dizer aos demais anjos que estão no céu? O que significa visitar cidades como Londres, Paris ou Rio de Janeiro? A que conclusões ele chega quando lê nossos principais livros de economia e ciência política? O que dirá ao voltar para as regiões celestiais após transitar pela Quinta Avenida, em Nova York, e percorrer uma aldeia africana com suas crianças inchadas, costelas expostas e cobertas de mosca? Que relatório apresentará depois de ter comparado a diferença de renda entre ricos e pobres? Um anjo que fez a cobertura das duas Guerras Mundiais diz o que a nosso respeito? Após ter presenciado a encarnação do Verbo, a crucificação do Cordeiro, a ressurreição do Filho de Deus, a ascensão aos céus do Rei do Universo, a entrega do cânon sagrado, o que ele pensa sobre a forma como administramos essas bênçãos de valor imensurável? À luz

CRISTO E O GRANDE PECADO DA RELIGIÃO | **239**

de todas elas, como vê as Cruzadas, a Inquisição, a Noite de São Bartolomeu, a evangelização dos índios das Américas nos séculos 15 e 16?

Não há dúvida do que esse anjo tem a dizer: *a humanidade caiu*. Ainda somos pecadores. O que dirá quando vir um de nós se dirigir ao Deus santo? Naturalmente, que, se algum da espécie humana ousar se aproximar de Deus, terá de fazê-lo com pano de saco e cinza. Isso é o que se deve esperar dos homens quando resolvem se aproximar de Deus.

Quais são os erros no modo como esse fariseu se dirigiu a Deus? Primeiro, *ele atribuiu sua retidão moral ao poder de Deus, mas foi incapaz de reconhecer que deveria atribuir a preservação da sua vida à graça de Deus.* A gratidão pela virtude recebida transforma-se em ingratidão se não vier acompanhada pela gratidão da virtude ausente, mas que foi perdoada mediante confissão.

Segundo, *ele lidou apenas com os aspectos externos da Lei.* Não considerava o décimo mandamento, que fala sobre a cobiça. Revelava desconhecer a realidade do prazer sentido pela queda do próximo e a estranha tristeza pela prosperidade daquele de quem se inveja. Ele nada sabia sobre os pecados de omissão, como deixar roubar, deixar a injustiça rolar solta ou deixar a imoralidade grassar.

Terceiro, *o fariseu cometeu o engano grave de se abstrair dos erros da espécie humana.* Ele disse, sem explicar, que não era igual aos demais seres humanos.

Quarto, *sentou no trono de Deus e julgou pessoas.* Tudo o que ele sabia sobre o publicano era o que sabia sobre os demais publicanos e o que havia testemunhado na vida daquele que se encontrava no templo. Ele só não tinha acesso a uma coisa: o coração do coletor de impostos.

Tampouco tinha ideia de que, naquele exato momento, Deus estava se derramando sobre o coração do outro homem, justificando-o dos seus pecados, adotando-o em sua família e considerando-o em melhor estado de alma do que o fariseu.

A ilusão que subjazia a todos os seus pecados menosprezava a verdade. Julgava que o modelo de espiritualidade farisaico agradava a Deus. Cristo estava, naqueles dias, revelando toda a loucura de uma tradição de espiritualidade que havia influenciado as pessoas a cometer o pecado mais diabólico que existe: a arrogância, a soberba. De todos os pecados que vimos até agora presentes nas instituições religiosas, o orgulho moral é o pior deles. Essa foi a iniquidade, presente na vida dos membros das instituições religiosas judaicas, que culminou na negação do evangelho e na execução de Cristo.

A questão que se impõe é: como podemos jamais "subir ao templo" da forma como o fariseu subiu? Mediante apresentação gráfica e inesquecível da verdade, o Senhor Jesus nos revela o caminho da redenção: "O publicano, estando em pé, longe, não ousava nem ainda levantar os olhos ao céu, mas batia no peito, dizendo: Ó Deus, sê propício a mim, pecador! Digo-vos que este desceu justificado para sua casa, e não aquele; porque todo o que se exalta será humilhado; mas o que se humilha será exaltado". Cristo utiliza nessa parábola o mesmo método que usou na parábola do bom samaritano: ele usa, deliberadamente, como referência da conduta que agradou a Deus, o personagem menos esperado.

Quem era o publicano? O termo "publicano" (em grego, *telones*) se refere a um coletor de impostos ou de alfândega em favor dos romanos, empregado por um contratador de

CRISTO E O GRANDE PECADO DA RELIGIÃO | 241

cobrança de impostos. O sistema estava sujeito a abusos, e os publicanos eram reconhecidamente inclinados à extorsão. Os coletores vinham da população nativa, e suas práticas geralmente extorsivas, o que se percebe, por exemplo, na vida de Zaqueu (Lc 19.8), que era o contratador da cobrança de todos os impostos de Jericó, contando com a ajuda de coletores que trabalhavam sob seu comando. Percebe-se essa inclinação ao crime, presente nos coletores de impostos, nas condições para o batismo estabelecidas por João Batista, quando publicanos se apresentaram para ser batizados (Lc 3.12-13). Por isso, esses profissionais eram desprezíveis e odiados aos olhos do povo. O próprio Senhor Jesus não os poupou de críticas (Mt 5.46).

O publicano era reputado como cerimonialmente imundo, por causa do seu contato contínuo com os gentios. Essa impureza, e o ensino rabínico de que seus alunos não deveriam comer em companhia de tais pessoas, explica a atitude evidenciada pelas expressões como "publicanos e pecadores" (Mt 9.10; 11.19; Mc 2.15; Lc 5.30; 7.34; 15.1) e "publicanos e prostitutas" (Mt 21.31). Daí a denúncia dos sacerdotes e anciãos: "Declarou-lhes Jesus: Em verdade vos digo que publicanos e meretrizes vos precedem no reino de Deus" (Mt 21.31. Cf. Mt 11.19; Lc 7.34).[14]

Sabemos que o peso do pecado pode variar de acordo com a cultura. O delito comumente praticado pelo publicano, contudo, mostra quanto os valores morais da humanidade não são tão variáveis quanto imaginamos. A malversação é universalmente odiosa. O crime de apropriação indébita de recursos públicos é visto como um atentado contra a vida em sociedade, algo que corrói as instituições do Estado. O publicano estava envolvido com essa prática criminosa.

O Senhor Jesus leva-nos a crer que a prática de extorsão, sob a luz projetada pela pregação da Palavra de Deus, havia causado profunda convicção de pecado na vida de muitos publicanos. O personagem da parábola ilustrava o milagre do amor gracioso de Deus. Assim é Deus, que ama salvar os corruptos. "Declarou-lhes Jesus: Em verdade vos digo que publicanos e meretrizes vos precedem no reino de Deus. Porque João veio a vós outros no caminho da justiça, e não acreditastes nele; ao passo que publicanos e meretrizes creram. Vós, porém, mesmo vendo isto, não vos arrependestes, afinal, para acreditardes nele" (Mt 21.31-32).

O publicano é descrito como estando no templo, mas distante do fariseu. Ele havia se dirigido a um lugar onde encontraria muita gente que o odiava. Entre esses, um fariseu orgulhoso por não roubar, não praticar injustiça e não adulterar, mas que odiava o publicano. Que interessante! O orgulho torna religiosos justos uma ameaça à sociedade. A fúria do justo! O ódio do casto, que sofre por não poder consumar o adultério! O que não mata, mas que anseia pela matança, e ora pedindo que fogo do céu caia sobre os ímpios! Como precisamos pedir a Deus que nos proteja da raiva do religioso privado de sexo, orgulhoso de si mesmo, que inveja a vida fácil dos corruptos e tornou-se especialista em direito canônico.

O que o Senhor Jesus quer dizer com "não ousava nem ainda levantar os olhos ao céu"? Quem passou por isso sabe o que significa. É um dos possíveis efeitos físicos e atitudes que resultam do estado de alma de quem se viu face a face com Deus. Observe que o verdadeiro arrependimento se trata de um sentimento que sempre tem relação com Deus, sua existência, seu caráter santo, a santidade da sua Lei, as ameaças que a Lei faz aos que resistem a Deus.

CRISTO E O GRANDE PECADO DA RELIGIÃO | **243**

Tudo isso pode vir acompanhado da terrível lembrança dos anos nos quais Deus foi ignorado; do pensamento sobre as oportunidades perdidas de conhecê-lo, amá-lo, servi-lo e provar da doçura da sua presença; da vida pregressa vista à luz da vida daqueles que em condições muito mais adversas amaram a Deus, e, por amarem a Deus, praticaram o bem; da insuportável experiência de ver as rugas nas faces daqueles que durante anos ferimos com a nossa indiferença. Como não se vergar pela dor de saber que tornamos a vida mais difícil para pessoas que conhecemos?

Assim, aquele publicano não ousa olhar para o céu, pois não tem o que reivindicar. Ele teme que a sua oração seja uma blasfêmia e se arrepende do seu arrependimento. Davi conheceu esse sentimento: "Deus, segundo a tua benignidade; e, segundo a multidão das tuas misericórdias, apaga as minhas transgressões. Lava-me completamente da minha iniquidade e purifica-me do meu pecado. Pois eu conheço as minhas transgressões, e o meu pecado está sempre diante de mim" (Sl 51.1-3).

A sede do pecado é o coração. Os publicanos pobres que ascenderam socialmente por via da corrupção sabiam que a pobreza não podia ser usada como justificativa para a prática da iniquidade. Com Deus não cola. Por quê? Porque Deus e o publicano sabem que nenhum de nós tolera esse tipo de desculpa quando a vítima somos nós. Condenamos a nós ao condenarmos quem contra nós pecou. Não somos diferentes. Por essa razão, o coletor de impostos é descrito batendo no peito. Paulo escreveu:

> Portanto, és indesculpável, ó homem, quando julgas, quem quer que sejas; porque, no que julgas a outro, a ti mesmo te condenas; pois praticas as próprias coisas que condenas. Bem sabemos que o juízo de Deus é segundo a verdade contra os

que praticam tais coisas. Tu, ó homem, que condenas os que praticam tais coisas e fazes as mesmas, pensas que te livrarás do juízo de Deus?

Romanos 2.1-3

O objetivo da pregação do evangelho é fazer que descerremos os punhos elevados aos céus em sinal de revolta, a fim de batermos no peito em sinal de arrependimento.

Eis o conteúdo da oração que mais agrada ao Criador único; infinito; autoexistente; imutável; e Santo, Santo, Santo: "Ó Deus, sê propício a mim, pecador". Aqui não temos o "Ó" metafísico, nem um "Ó" artificial, piegas, mímico, de um culto de autoajuda. Esse é o "Ó" dos grandes avivamentos. É o gemido dos que se viram perante a face de um Deus terrível nos seus juízos, reto na sua vontade, santo no seu caráter. É o clamor de quem passou a se ver como Deus o vê.

Mas esse é, também, um brado de esperança. Em algum lugar, aquele homem ouvira — talvez em uma canção, uma pregação ou um livro — que Deus é gracioso, perdoa pecados e não se esconde nunca de quem o busca com o coração compungido. É impossível uma pessoa fazer essa oração e não ser ouvida. "Sacrifícios agradáveis a Deus são o espírito quebrantado; coração compungido e contrito, não o desprezarás, ó Deus" (Sl 51.17), declarou Davi.

Justificado pela fé

Lembro-me de uma comovente história contada pelo teólogo inglês J. I. Packer que é capaz de ilustrar essa experiência de real arrependimento sobre a qual Cristo está falando. Packer relata algo que aconteceu por volta de

CRISTO E O GRANDE PECADO DA RELIGIÃO | **245**

1620, em Dedham, no ministério de John Rogers, que pressionava os ouvintes por estarem negligenciando a Bíblia:

Ele personificava Deus para o povo, dizendo-lhes: "Bem, tenho-vos confiado há tanto tempo a minha Bíblia [...] ela jaz na casa deste ou daquele, coberta de poeira e teias de aranha; e não vos incomodais em dar-lhe ouvidos. É assim que usais minha Bíblia? Bem, não tereis mais minha Bíblia". E ele tomou a Bíblia de sua almofada, como quem estivesse se retirando, mas, imediatamente, voltou-se para eles e personificou o povo diante de Deus, caindo de joelhos, clamando e rogando da maneira mais veemente: "Senhor, o que quer que faças conosco, não tires a Bíblia de nós; mata nossos filhos, queima as nossas casas, destrói os nossos bens, mas poupa-nos a tua Bíblia, não tires de nós a tua Bíblia".

Então, novamente personificou Deus para o povo, dizendo: "Vós dizeis assim? Bem, eu vos testarei um pouco mais; e aqui está a minha Bíblia para vós. Verei como a usareis; se a amareis [...] se a observareis mais [...] e se a colocareis mais em prática, vivendo de acordo com ela". Por essa altura, conforme Thomas Goodwin, que presenciou a cena e contou a John Howe (cujas palavras tenho estado a citar), todo o povo que estava no templo desmanchou-se em lágrimas; e o próprio Goodwin, "quando saiu [...] pendurou-se por um quarto de hora ao pescoço de seu cavalo, chorando, antes que tivesse forças para montar, tão estranha era a impressão que caíra sobre ele, bem como sobre todos os ouvintes, após terem sido repreendidos por negligenciarem a Bíblia".[15]

O que o publicano pede? Que Deus torne-se propício a ele. Que volte a sorrir para ele. Que remova sua ira. Que encontre uma maneira de honrar sua santa Lei sem que isso represente a morte do que pecou. Que Deus não se lembre das suas iniquidades. Que ele retorne para casa para não mais banhar seu travesseiro com as suas lágrimas. Que ele coma o pão e sinta o sabor. Lembro-me novamente de Davi no Salmo 51.4-12:

> Pequei contra ti, contra ti somente, e fiz o que é mau perante os teus olhos, de maneira que serás tido por justo no teu falar e puro no teu julgar. Eu nasci na iniquidade, e em pecado me concebeu minha mãe. Eis que te comprazes na verdade no íntimo e no recôndito me fazes conhecer a sabedoria. Purifica-me com hissopo, e ficarei limpo; lava-me, e ficarei mais alvo que a neve. Faze-me ouvir júbilo e alegria, para que exultem os ossos que esmagaste. Esconde o rosto dos meus pecados e apaga todas as minhas iniquidades. Cria em mim, ó Deus, um coração puro e renova dentro de mim um espírito inabalável. Não me repulses da tua presença, nem me retires o teu Santo Espírito. Restitui-me a alegria da tua salvação e sustenta-me com um espírito voluntário.

O publicano apenas ora. Isso é sumamente importante! Quem cometia aquela espécie de pecado tinha, pela Lei de Moisés, de fazer oferta pela iniquidade e restituição de tudo o que extorquira. Mas, mesmo assim, ele foi ouvido! Jesus, com essa parábola, começa a tornar obsoleto todo o cerimonialismo judaico. Isso porque ele em breve faria sacrifício definitivo pelos pecadores.

E mais! Jesus preparava o mundo para receber o seu evangelho. Ele queria ver gente um dia adorando o Pai nas savanas africanas, no rio Sena, nos Alpes suíços, nas favelas brasileiras, nas praias do Rio de Janeiro, nos Andes, nas aldeias chinesas. Ninguém haveria de precisar peregrinar a Jerusalém, nem mesmo orar voltado para a cidade de Davi, a fim de ter sua súplica ouvida. Deus é espírito e importa que seus adoradores o adorem em espírito e em verdade.[16]

O publicano é apresentado como alguém preocupado com Deus e despreocupado com o fariseu. Não havia

CRISTO E O GRANDE PECADO DA RELIGIÃO | **247**

como olhar para o lado. Ao descer do templo, Jerusalém receberia um homem que não mais haveria de se dedicar à prática do roubo, da injustiça e do adultério, mas sem que para isso se tornasse perigosamente justo. Era justamente isso que estava literalmente acontecendo naqueles dias — entre as meretrizes e os publicanos, mas não entre sacerdotes, escribas, fariseus, anciãos ou membros do Sinédrio.

Qual foi o veredito de Deus? Após descrever o que havia acontecido em Jerusalém, Cristo descreve o que havia acontecido no céu: "Digo-vos que este desceu justificado para sua casa, e não aquele; porque todo o que se exalta será humilhado; mas o que se humilha será exaltado". O evangelho inteiro está nesta palavra: "justificado". Difícil dizer o que ela representa para a totalidade do cristianismo.

> A justificação é um ato judicial de Deus, no qual ele declara, com base na justiça de Cristo, que todas as reivindicações da lei são satisfeitas com vistas ao pecador. [...] A justificação remove a culpa do pecado e restaura o pecador a todos os direitos filiais envolvidos em seu estado de filho de Deus, incluindo uma herança eterna.[17]

Justificação significa a imputação dos nossos pecados a Cristo e a imputação da justiça de Cristo ao pecador que se arrependeu e creu. Portanto, não se trata de uma justiça infundida. Não significa ser justo por ter praticado obras de justiça. É um dom que cai do céu como a chuva. Nada podemos fazer para conquistá-lo, exceto apresentar mãos vazias. A justificação, portanto, é instantânea e não processual — e isso precisa ser frisado indefinidamente. A justificação não pode ser confundida com a santificação. É algo gratuito, que se recebe pedindo, e não trabalhando. Isso também tem de ser repetido quantas vezes for necessário, até a doutrina ser socada dentro do coração. Martinho Lutero escreveu, em uma passagem magistral:

> A lei, portanto, exige que façamos algo para Deus. A fé, porém, não requer o nosso fazer, mas [requer] que, crendo na promessa de Deus, a recebamos dele. Por isso, a função da lei, no seu maior grau, é fazer; a da fé, assentir com as promessas. A lei, portanto, providencia o fazer, a fé providencia o receber, porque a fé é a fé nas promessas, a obra é obra da lei [...]. É próprio da lei não justificar e vivificar, mas mostrar o pecado e matar. Diz, na verdade, a lei: "Aquele que observar os seus preceitos por eles viverá". Mas onde há alguém que os observa? Onde há alguém que ama a Deus de todo o coração [...] e ao próximo como a si mesmo?[18]

A justificação é mais que perdão. Ela tem, na Bíblia, o sentido de haver atendido as exigências da Lei, cumprido o pacto de obras e obtido a vida eterna. Significa Deus tratar o justificado como se jamais tivesse pecado. A partir do recebimento da justificação pela fé, todas as promessas feitas nas Escrituras aos justos tornam-se propriedade do crente. Suas orações são ouvidas, Deus cuida providencialmente da sua vida, a Lei não mais o acusa, o inferno não o apavora, o juízo final não o faz tremer, sua consciência é pacificada, a religião perde o controle sobre a sua vida, a Bíblia se transforma em carta de amor, os demônios são expulsos do tribunal sem poder mais acusar, o juiz declara o culpado justo e filho.

Tudo agora é suave. O caminho do templo para casa torna-se perfumado, florido, cheio de luz. Na consciência reina a paz. A justificação nos é apresentada nessa passagem como bênção a ser recebida pela fé somente! O publicano

CRISTO E O GRANDE PECADO DA RELIGIÃO | **249**

não teve obras a apresentar. Ele apenas chegou com a fé, e saiu com o céu.

Por que as coisas são desse modo? Porque *assim é Deus*.[19] É isso o que Cristo está dizendo: "Assim é Deus". Sim! Assim é Deus. Dulcíssimo. Cheio de ternura. Quantos filhos seus feridos pelos nossos pecados! Quanto serviço prestamos ao diabo! Como trabalhamos pelos interesses deste mundo! Sempre pautados por alguém, enquanto nos orgulhávamos de ser livres! Mas, agora, sem obras, mas pela fé somente, manifestou-se a justiça de Deus sobre todo aquele que crê. O justo — sim! Mil vezes amém! — viverá pela fé![20]

E agora?

O que fazer agora? A cada momento, voltar para a casa do Pai. Buscar a apropriação diária da justificação. Ser surdo ao diabo. Deixar a religião falar sozinha. Tirar do dedo o anel da antiga aliança de casamento com a senhora Lei.

Deus é assim. Como? Seu coração funciona da seguinte forma: "Porque todo o que se exalta será humilhado, mas o que se humilha será exaltado"! Neste mundo de guerra, crime, desigualdade, miséria, egoísmo, mentira e outros pecados tão claramente presentes em todas as cidades do planeta, ninguém tem o direito de se exaltar. Somos rebeldes que precisam depor as armas. Nós nos rebelamos contra o Rei e transformamos o jardim da comunhão num deserto de sangue. Nós nos tornamos o lobo do próximo.

Tudo foi tão grave, os crimes tão hediondos, o mal tão disseminado, a afronta ao céu tão injusta, que foi necessário que o sangue do próprio Filho de Deus fosse derramado a fim de que Deus se tornasse propício, de modo justo, aos homens. Não temos o direito de levantar a cabeça. O objetivo da pregação do evangelho é fazer o homem calar a boca.[21]

Humilhação é não ser ouvido, ter a loucura exposta e perceber que Deus faz oposição à vida dos orgulhosos. Pense no significado da afirmação: "Deus resiste aos soberbos" (Tg 4.6). Quem se habilita a enfrentar essa resistência? Exaltação é o exato oposto. Significa Deus pedir que paremos de bater no peito, a fim de levantar aos céus as mãos vazias, porque é chegado o momento de elas receberem o presente da redenção.

É próprio Deus pedir que se olhe para cima. É hora de contemplar a face sorridente do Criador. Mas há espaço para olhar para o lado, na descida do templo, a fim de nunca mais fazer sacrifício ou precisar se dirigir para um lugar considerado santo a fim de ser ouvido. Ser exaltado é ser batizado com o Espírito Santo, receber o selo santo, ouvir o Pai dizer, "tu és meu filho amado e em ti me comprazo".

É também chegada a hora de voltar para casa e dizer o que aconteceu no templo. Testemunhar sobre um amor incomensurável e passar a viver vida oposta à que sempre viveu, para espanto dos vizinhos, dos fariseus e daqueles que não conhecem um Deus que perdoa pecados e santifica o coração. A suprema exaltação é, após a morte, ver os portões da Nova Jerusalém se abrirem de par em par para receber o filho redimido, que haverá de viver para sempre numa cidade habitada por gente tornada excelente pela graça divina, a fim de, na comunhão dos santos, adorar o Pai, que um dia nos viu em agonia orando, e nos foi propício. Como diz o hino composto pelo reverendo George Matheson:

CRISTO E O GRANDE PECADO DA RELIGIÃO | 251

Amor, que por amor desceste!
Amor, que por amor morreste!
Ah! Quanta dor não padeceste!
Minha alma vieste resgatar
E meu amor ganhar!

Amor, que com amor seguias
A mim, que sem amor tu vias!
Ó! Quanto amor por mim sentias,
Eterno Deus, Senhor Jesus,
Sofrendo sobre a cruz!

Amor, que tudo me perdoas,
Amor, que até mesmo abençoas
Um réu a quem tu te afeiçoas!
Vencido, ó Salvador, por ti,
Teu grande amor senti!

Amor sublime, que perduras,
Que em tua graça me seguras,
Cercando-me de mil venturas!
Aceita, agora, ó Salvador,
O meu humilde amor.[22]

Conclusão

ESTE É O LIVRO MAIS DIFÍCIL que já escrevi. Não creio que nenhum outro que possa um dia vir a escrever me causará tanta crise.

Ao falar sobre os conflitos de Cristo com as instituições religiosas, pensei em mim. Sinto, agora, ardente desejo de pedir a desconversão do farisaísmo que ainda há em mim, essa doença contraída dentro da religião. Era um mal que eu não conhecia até entrar no mundo dos templos.

Creio que você deve ter se sentido perturbado também. Não foi para nenhum de nós tarefa fácil conhecer o amor do bom samaritano; entender que Cristo estava falando de nós, religiosos, ao apresentar o sacerdote e o levita que ignoravam o semimorto.

O que dizer, então, daqueles homens que arrastaram uma pobre mulher que havia adulterado até o templo, expondo-a à humilhação pública?

Como nos transtornou os "ais" de Cristo! Quanta vezes, à medida que avançávamos no exame da pregação do nosso Senhor e Salvador, também dissemos os nossos "ais"! E aquela história de lavar as mãos, mas descuidar da mãe?

E a figura desse fariseu orando no templo? E o relato da destruição de Jerusalém? Como temi que a nossa geração esteja afastando a glória de Deus do nosso país! Temi pela igreja. Temi pelo Brasil. Que Deus se compadeça de nossa pátria e não permita que o seu glorioso nome seja blasfemado entre os gentios por nossa causa.

Apesar de toda perturbação e dor experimentadas, conhecemos mensagem que nos trouxe profunda esperança: o publicano voltando para casa justificado pela fé. Deus quer que você e eu voltemos para casa, para o local de trabalho, para o templo, para a rua, para o campo missionário, para onde for, a fim de vivermos como discípulos perdoados e salvos do farisaísmo. Que você e eu clamemos de todo o coração:

> Ó Deus, Pai santo, Deus de misericórdia e consolação, salva-nos dos pecados do altar, dos males da religião, para que vivamos a vida que Cristo viveu. Compadece-te das igrejas brasileiras! O Senhor abriu o coração do nosso povo para atender à nossa pregação. Quanta gente sofrida em busca da redenção! Nossos templos têm estado lotados, mas nem por isso nosso país mudou! A tua justiça não corre como um rio em nossa nação e os membros das nossas igrejas não revelam a beleza do caráter de Cristo. O que houve conosco?
>
> Tememos que tu te apartes de nós em razão dos nossos muitos pecados. Salva-nos da religião preocupada com o dízimo do endro, da hortelã e do cominho, mas que negligencia a misericórdia, a justiça e a fé! Não permitas que ignoremos a desgraça de nenhum ser humano. Que jamais utilizemos a Bíblia para matar! E, muito menos, que estejamos envolvidos com um complô inconsciente para "matar" o nosso Salvador. Jesus, não afaste o candeeiro da nossa Jerusalém! Que na tua ira tu te lembres de ser misericordioso conosco, como lhe é congenial! E trata-nos como trataste aquele publicano, perdoando os nossos pecados e voltando a sorrir para a nossa vida.
>
> Que antes da nossa morte vejamos um copioso derramamento do Espírito Santo em nossa terra, capaz de espalhar a

CONCLUSÃO | **255**

justiça do reino de Cristo por nossas favelas, nossas comunidades ribeirinhas e pelo sertão do Nordeste. Que seja algo lindo, que humanize nossas prisões, torne a educação nas escolas públicas mais excelente, faça nos hospitais públicos os enfermos serem tratados com dignidade, ajude o trabalhador a receber um salário justo e ter tempo para a família, torne os que nos governam honestos com a honestidade de quem sabe que terá de prestar contas ao justo Juiz do universo.

Que venha de tua parte algo que faça nossos púlpitos arderem em fogo que ilumina e aquece! Transforma nossos cultos em momentos de perceptível transcendência. Que em todos os cantos das nossas igrejas ouçamos gente a dizer "Ó, Deus". Que o nosso Brasil se transforme em luz para as nações, enviando missionários para todos os continentes do planeta.

Fazemos nossa a oração do profeta Isaías: "Oh! Se fendesses os céus e descesses! Se os montes tremessem na tua presença, como quando o fogo inflama os gravetos, como quando faz ferver as águas, para fazeres notório o teu nome aos teus adversários, de sorte que as nações tremessem da tua presença! Quando fizeste coisas terríveis, que não esperávamos, desceste, e os montes tremeram à tua presença. Porque desde a antiguidade não se ouviu, nem com ouvidos se percebeu, nem com os olhos se viu Deus além de ti, que trabalha para aquele que nele espera".[1]

Em nome do nosso amado Salvador, Jesus Cristo, oramos. Com perdão dos nossos pecados. Amém.

Notas

Introdução

[1] Tornei-me membro da Igreja Presbiteriana Betânia, na cidade de Niterói (RJ), ao ser batizado no antigo templo da rua Major Froés, no bairro de São Francisco, em novembro de 1982. Hoje, sou pastor-titular da Igreja Presbiteriana da Barra da Tijuca, no Rio de Janeiro (RJ), que foi plantada por mim a partir de 1987, e organizada como igreja filiada à Igreja Presbiteriana do Brasil, em dezembro de 1992.

[2] "A realidade subjetiva depende, assim, sempre de estruturas específicas de plausibilidade, isto é, da base social específica e dos processos sociais exigidos para sua conservação. Só é possível o indivíduo manter sua autoidentificação como pessoa de importância em um meio que confirma essa identidade; uma pessoa só é católica se conserva uma relação significativa com a comunidade católica, e assim por diante. A ruptura da conversa significativa com os mediadores das respectivas estruturas de plausibilidade ameaça as realidades subjetivas em questão. [...] O indivíduo que vive durante muitos anos entre pessoas de diferente religião, separado da comunidade das que participam de sua própria fé, pode continuar a identificar-se, digamos, como católico. Por meio da oração, dos exercícios religiosos e de técnicas semelhantes, sua velha realidade católica pode continuar a ser subjetivamente importante para ele. Por pouco que seja, estas técnicas podem conservar sua contínua autoidentificação como católico. Contudo, subjetivamente,

tornar-se-ão vazias de realidade 'viva', a não ser que sejam 'revitalizadas' pelo contato social com outros católicos. Sem dúvida, o indivíduo em geral lembra-se das realidades do passado, mas a maneira de 'refrescar' essas lembranças é conversar com aqueles que participam da importância dela". Peter L. BERGER. *A construção social da realidade*. Petrópolis: Vozes, 1996, p. 205.

3 Sinclair B. FERGUNSON. *O Espírito Santo*. São Paulo: Os puritanos, 2000, p. 264.

4 *A missão da igreja no mundo de hoje*. São Paulo: ABU Editora e Visão Mundial, 1982, p. 220.

5 São Paulo: Companhia das letras, 2016, p. 102-103.

6 *Imitação de Cristo*. Rio de Janeiro: Paulus, 1976, p. 56.

7 *Reconciliação: O método de Deus*. São Paulo: PES, 1995, p. 99.

8 Quando a Editora Mundo Cristão lançou meu livro *Convulsão protestante*, lamentavelmente, muitas pessoas que não conseguem fazer uma boa interpretação de texto me acusaram de ser marxista quando eu não sou e nunca fui marxista. Infelizmente, não compreenderam minhas palavras, atribuíram teores ideológicos à minha visão teológica e espiritual e propagam pelas redes sociais e outros âmbitos uma suposta realidade a meu respeito que não condiz com a verdade. Por essa razão, para evitar que esse tipo de deficiência interpretativa ocorra nesta obra, preciso deixar muito claro e explícito, logo de cara, a fim de evitar que alguém me acuse de ser o que não sou, dizer o que não penso e escrever o que não escrevi: eu não sou contra a igreja institucional. Não sou antieclesiástico. Não incentivo o desigrejamento nem creio nele. Não acredito na anarquia eclesiástica. Conheci Cristo, fui batizado e amadureci na fé em uma igreja institucional, presbiteriana. Plantei uma igreja institucional. Pastoreio uma igreja institucional. Portanto, em momento algum as minhas críticas nesta obra são dirigidas ao fato de a igreja se organizar de modo institucional, com hierarquias, ordem e normas. Minhas críticas vão direto ao coração de homens que usam as igrejas institucionais para oprimir, destruir e afastar pessoas de Deus.

9 Petrópolis: Vozes, 1996, p. 99.

NOTAS | **259**

[10] Idem, p. 153.

[11] *Teologia sistemática*. São Paulo: Hagnos, 2001, p. 44.

Capítulo 1

[1] Roland BAINTON. *Cativo à Palavra*. São Paulo: Vida Nova, 2017, p. 153-157.

[2] Brasília: Palavra, 2012, p. 29-30.

[3] São Paulo: PES, 1982, p. 2.

[4] *Perspectivas sociológicas*. Petrópolis: Vozes, 2007, p. 127-128.

[5] Sigmund FREUD. *Mal-estar na civilização*. Rio de Janeiro: Imago, 1997, p. 109-110.

[6] Idem.

[7] *Decisive Issues Facing Christians Today*. Grand Rapids: Fleming H. Revell, 1990, p. 257.

[8] *A corrosão do caráter*. Rio de Janeiro: Record: 2001, p. 174.

[9] *Teologia sistemática*. São Paulo: Hagnos, 2001, p. 313.

[10] "Certos novos teólogos questionam o pecado original, que constitui a única parte da teologia cristã que pode realmente ser provada". G. K. CHESTERTON. *Ortodoxia*. São Paulo: Mundo Cristão, 2008, p. 27.

[11] *Confissões*. São Paulo: Paulinas, 1984, p. 72, 94.

[12] Modo como Agostinho chama a Deus no seu livro *Confissões*.

[13] John STOTT. *Contracultura cristã*. São Paulo: ABU, 1981, p. 32.

[14] *Estudos no Sermão do Monte*. São José dos Campos: Fiel, 1984. p. 62

[15] *El Evangelio según San Juan: Comentario del Nuevo Testamento*. Grand Rapids: Subcomisión Literatura Cristiana, 1987, p. 301.

[16] Cf. João 6.41-42.

[17] Cf. Mt 23.

[18] Cf. João 7.45-52.

[19] *O comentário de João*. São Paulo: Shedd Publicações, 2007, p. 336.

[20] *Mente cativa*. São Paulo: Novo Século, 2010, p. 16.

²¹ *Interpretação do Novo Testamento: Gálatas e Tito*. São Leopoldo: Comissão Interluterana de Literatura, 2008, p. 180-181.

²² *The Gospel of John: A Complete Analytical Exposition of the Gospel of John*. Nova York: Publication Office Our Hope, 1936, p. 156.

²³ *Op. cit.*, p. 142.

Capítulo 2

¹ *El Evangelio según San Juan: Comentario del Nuevo Testamento*. Grand Rapids: Subcomisión Literatura Cristiana, 1987, p. 285.

² *Cristianismo puro e simples*. Rio de Janeiro: Thomas Nelson Brasil, 2017, p. 255.

³ *The Incomparable Christ*. Downers Grove: InterVarsity Press, 2002, p. 111.

⁴ *Mente cativa*. São Paulo: Novo Século, 2010, p. 52.

⁵ *Política*. Rio de Janeiro: Topbooks. 2003, p. 189.

⁶ *Imitação de Cristo*. Rio de Janeiro: Paulus, 1976, p. 20.

⁷ *Op. cit.*, p. 42.

⁸ *Marcos: Introdução e comentário*. São Paulo: Vida Nova, 1990, p. 116.

⁹ *Op. cit.*, p. 287.

¹⁰ *Anarquia e cristianismo*. São Paulo: Garimpo, 2010, p. 78.

¹¹ *As institutas da religião cristã*. São Paulo: Casa Editora Presbiteriana, 1985, p. 84.

¹² *Interpretação do Novo Testamento: Gálatas e Tito*. São Leopoldo: Comissão Interluterana de Literatura, 2008, p. 440-441.

¹³ *A passagem do meio*. São Paulo: Paulus, 1995, p. 9, 12.

¹⁴ Os termos "progressista" e "conservador" são utilizados neste parágrafo em sua conotação moral e não política.

¹⁵ *Meditações no evangelho de Marcos*. São José dos Campos: Fiel, 1994, p. 84.

¹⁶ *The Religious Affections*. Carlisle: The Banner of Truth Trust, 1997, p. 92.

NOTAS | 261

[17] *A liberdade: Utilitarismo.* São Paulo: Martins Fontes, 2000. p. 30.

[18] Idem, p. 73-74.

[19] *Op. cit.*, p. 289.

[20] *Perspectivas sociológicas.* Petrópolis: Vozes, 2007, p. 128.

[21] *Os puritanos: Suas origens e sucessores.* São Paulo: Publicações Evangélicas Selecionadas, 1993, p. 342.

[22] Cf. Provérbios 29.7.

[23] *El Evangelio según San Marcos. Comentario del Nuevo Testamento.* Grand Rapids: Subcomisión Literatura Cristiana, 1987. p. 292.

[24] *Estudos no Sermão do Monte.* São José dos Campos: Fiel, 1984, p. 123.

[25] *The message of 1 Timothy & Titus.* Downers Grove: InterVarsity Press, 1996, p. 49.

[26] *Teologia sistemática.* São Paulo: Hagnos, 2001, p. 1222.

[27] *As grandes doutrinas bíblicas.* São Paulo: Publicações Evangélicas Selecionadas, 1997, p. 308-310.

[28] Essa imagem tirei de sermões de Martinho Lutero.

[29] "Em nossa pesquisa de uma neurose em sua terapia somos levados a fazer duas censuras contra o superego do indivíduo. Na severidade de suas ordens e proibições, ele se preocupa muito pouco com a felicidade do *ego*, já que considera de modo insuficiente as resistências contra a obrigação de obedecê-las — a força instintiva do *id* (em primeiro lugar) e as dificuldades apresentadas pelo meio ambiente externo real (segundo). Por conseguinte, somos frequentemente obrigados, por propósitos terapêuticos, a nos opormos ao *superego* e a nos esforçarmos por diminuir suas exigências. Exatamente as mesmas objeções podem ser feitas contra as exigências éticas do superego cultural. Ele também não se preocupa de modo suficiente com os fatos da constituição mental dos seres humanos. Emite uma ordem e não pergunta se é possível às pessoas obedecê-la. Pelo contrário, presume que o *ego* de um homem é psicologicamente capaz de tudo que lhe é exigido, que o *ego* desse homem dispõe de um domínio ilimitado sobre seu *id*". (Sigmund FREUD. *Mal-estar na civilização.* Rio de Janeiro:

Imago, 1997, p. 109-110). Estou absolutamente certo de que essas questões apresentadas por Freud têm de ser encaradas por nós, cristãos. Não podemos criar ambientes psicopatológicos. Mas, como fazê-lo sem que transformemos a vida em sociedade na guerra de todos contra todos, e os absolutos morais de Deus em meras exigências de uma sociedade adoecida?

[30] *Pregação*. São Paulo: Vida Nova, 2018, p. 166-167.

[31] *Interpretação do Novo Testamento: Gálatas e Tito*. São Leopoldo: Comissão Interluterana de Literatura, 2008, p. 778-779.

Capítulo 3

[1] "O intérprete da lei não se ocuparia com assuntos seculares, mas, sim, com a Lei no sentido judaico, os cinco primeiros livros do Antigo Testamento. A partir de então, teria estudado o restante das Escrituras e questões incidentais. Era, portanto, um homem de quem se esperaria que fosse interessar-se por assuntos religiosos, e ser conhecedor deles". F. F. BRUCE. *Lucas: Introdução e comentário*. São Paulo: Mundo Cristão, 1983, p. 177.

[2] *Imitação de Cristo*. São Paulo: Paulus, 1976, p. 12.

[3] *The Rational Biblical Theology of Jonathan Edwards*. Powhatan e Orlando: Berea Publications, 1991, p. 187-188.

[4] "A resposta desse homem nos mostra quão grandes eram os privilégios de conhecimento espiritual de que os judeus desfrutavam, se comparados aos gentios, na época do Antigo Testamento". J. C. RYLE. *Meditações no evangelho de Lucas*. São José dos Campos: Fiel, 2002, p. 178.

[5] *Comentário do Novo Testamento: Lucas*. São Paulo: Cultura Cristã, 2003, p. 89.

[6] James H. HOUSTON. *Mente em chamas*. Brasília: Palavra, 2007, p. 134.

[7] Chamo de filosofia revelada por acreditar na existência de fundamento racional para a fé, que torna exequível a aplicação dos grandes pressupostos intelectuais do cristianismo às mais diferentes áreas da filosofia. Veja este exemplo de Étienne Gilson: "A primeira característica do Deus judeu era a sua

unicidade: 'Ouve, ó Israel: o Senhor nosso Deus é um só Senhor'. É impossível conseguir uma revolução mais abrangente em menos palavras ou de modo mais simples. Quando Moisés fez essa afirmação, não estava a formular qualquer princípio metafísico para ser mais tarde apoiado por uma justificação racional. Estava simplesmente a falar como profeta inspirado e a definir para o benefício dos judeus o que deveria ser daí em diante o objeto único da sua adoração. Contudo, esta afirmação essencialmente religiosa continha a semente de uma revolução filosófica crucial, pelo menos no sentido em que, se um filósofo qualquer, especulando em qualquer momento, sobre o primeiro princípio e causa do mundo, sustentasse que o Deus judeu era o verdadeiro Deus, seria necessariamente levado a identificar a sua suprema causa filosófica com Deus. Por outras palavras, ao passo que a dificuldade, para um filósofo grego, era ajustar uma pluralidade de deuses a uma realidade que ele concebia como única, qualquer seguidor do Deus judaico saberia imediatamente que, qualquer que se dissesse ser a natureza da realidade, o seu princípio religioso teria necessariamente de coincidir com seu princípio filosófico". *Deus e a filosofia*. Lisboa: Edições 70, 1941, p. 41-42.

[8] "A revelação e a religião estão intimamente relacionadas, tão intimamente entrelaçadas que uma fica de pé ou cai com a outra. [...] Ou a religião é uma ilusão ou ela deve ser baseada na crença na existência, revelação e cognoscibilidade de Deus. [...] Deus pode ser conhecido por Deus. Todo conhecimento e serviço de Deus, consequentemente, está arraigado na revelação feita por ele, mas essa revelação de Deus na natureza e na história é insuficiente. Por essa razão, se faz necessária uma revelação especial, sobrenatural, que começa imediatamente depois da queda e alcança seu zênite em Cristo". Herman BAVINCK. *Dogmática reformada: Volume I*. São Paulo: Cultura Cristã, 2012, p. 285, 287.

[9] "Afeições religiosas em alto grau não são evidência de que não têm a natureza da verdadeira religião. Portanto, comete grande erro quem condena pessoas como entusiastas, simplesmente porque são muito altas as suas afeições. [...] É evidente

pela Escritura que as descobertas das verdades divinas, ou ideias sobre a glória de Deus, quando dadas em grau elevado, têm a tendência, por afetar a mente, de sobrecarregar o corpo; porque as Escrituras nos ensinam frequentemente que, se essas ideias ou visões tiverem que ser dadas no nível que são dadas no céu, a constituição fraca do corpo pode não suportá-las, e que nenhum homem pode, daquele modo, ver a Deus e viver". Jonathan EDWARDS. *The Religious Affections.* Carlisle: The Banner of Truth Trust, 1997, p. 57, 60.

[10] *Confissões.* São Paulo: Paulinas, 1984, p. 298.

[11] *Op. cit.*, p. 166.

[12] *Peso de glória.* São Paulo: Vida Nova, 1993, p. 16.

[13] "Amo os teus mandamentos mais do que o ouro, mais do que o ouro refinado. Por isso, tenho por, em tudo, retos os teus preceitos todos e aborreço todo caminho de falsidade" (Sl 119.127-128).

[14] "Tu o incitas para que sinta prazer em louvar-te; fizeste-nos para ti, e inquieto está o nosso coração, enquanto não repousa em ti". AGOSTINHO. *Confissões.* São Paulo: Paulinas, 1984, p. 15.

[15] "E me indagava: se fôssemos imortais e vivêssemos num perpétuo prazer do corpo, sem temor de perdê-lo, por que não seríamos felizes? Que coisa mais seria preciso procurar? Eu não estava percebendo que nisso consistia a minha miséria. Imerso no vício e cego como estava, não conseguia pensar no esplendor da luz e da beleza, desejáveis por si mesmas, invisíveis aos olhos do corpo e só percebidas no íntimo da alma. [...] Ai do homem temerário que, afastando-se de ti, pensa encontrar algo melhor! Quer se volte ou revire para trás, para os lados ou para a frente, todas as posições lhe são incômodas, pois só em ti acha tranquilidade". Idem, p. 155.

[16] *O Deus que intervém.* Brasília: Refúgio, 1985, p. 156.

[17] *A Confissão de Fé de Westminster.* São Paulo: Cultura Cristã, 2005, p. 26, 30.

[18] *Op. cit.*, p. 182.

[19] *As institutas da religião cristã.* São Paulo: Casa Editora Presbiteriana, 1985, p. 53.

NOTAS | **265**

[20] *Charity and its Fruits.* Carlisle: The Banner of Truth Trust, 2000, p. 5-6.

[21] Cf. Gn 22.

[22] *Santidade.* São José dos Campos: Fiel, 1987, p. 64.

[23] *Interpretação do Novo Testamento.* Gálatas e Tito. São Leopoldo: Comissão Interluterana de Literatura, 2008, p. 145.

[24] *As parábolas de Jesus.* São Paulo: Paulinas, 1986, p. 202.

[25] "O judeu vivia num círculo: o centro era ele mesmo, cercado por seus parentes mais próximos, então pelos outros parentes, e finalmente, pelo círculo daqueles que proclamavam descendência judaica e que se tinham convertido ao Judaísmo. A palavra 'próximo' tinha um significado de reciprocidade: ele é meu irmão e eu sou irmão dele. Assim se fecha o círculo de egoísmo e etnocentrismo. Suas linhas haviam sido cuidadosamente traçadas, a fim de assegurar o bem-estar dos que se achavam dentro e negar ajuda aos que estavam fora". Simon KISTEMAKER. *As parábolas de Jesus.* São Paulo: Cultura Cristã, 2002, p. 166.

[26] *Op. cit.*, p. 181.

[27] *Cristianismo e liberalismo.* São Paulo: Os Puritanos, 2001, p. 19.

[28] São Paulo: Mundo Cristão, 2016, p. 20.

[29] J. JEREMIAS. *As parábolas de Jesus.* São Paulo: Paulinas, 1986, p. 203.

[30] Simon KISTEMAKER. *As parábolas de Jesus.* São Paulo: Cultura Cristã, 2002, p. 169.

[31] *One Holy Passion.* Nashville: Thomas Nelson Publishers, 1987, p. 183-184.

[32] *Urban Ministry.* Downers Grove: InterVarsity Press, 2001, p. 335.

[33] *Ouça o Espírito, ouça o mundo.* São Paulo: ABU Editora, 1997, p. 139.

[34] *Op. cit.*, p. 203.

[35] São Paulo: Companhia das Letras, 2009, p. 18.

[36] *O conhecimento de Deus.* São Paulo: Mundo Cristão, 1987, p. 136-137.

[37] *Romanos: O evangelho de Deus.* São Paulo: Publicações Evangélicas Selecionadas, 1998, p. 369-370.

Capítulo 4

[1] Não chegaria ao ponto de dizer que O *príncipe* foi escrito com esse propósito, mas parece-me que, ao dar conselhos aos príncipes, Maquiavel ajudou os governados a entender a cabeça dos que governam.

[2] "As sinagogas tinham um assento de pedra na frente, no qual o mestre autoritativo, em geral, um *grammateus* ('mestre da lei') sentava-se. Além disso, 'sentar no assento de X', com frequência, representa 'suceder a X'. [...] Isso poderia indicar que os 'mestres da lei' são os sucessores legais de Moisés, possuindo toda a autoridade dele — percepção que os próprios mestres da lei defendiam". D. A. CARSON. *O comentário de Mateus*. São Paulo: Shedd Publicações, 2011, p. 548.

[3] *A mensagem de Gálatas*. São Paulo: ABU Editora, 1989, p. 24, 28.

[4] "A declaração de Cristo não deve ser interpretada em sentido absoluto, como se os preceitos dos escribas e fariseus devessem ser obedecidos sem nenhuma qualificação. Se esse tivesse sido o significado, Jesus estaria aqui se contradizendo. [...] Quando os escribas e fariseus interpretavam fielmente a Moisés, havia que obedecer-lhes". William HENDRIKSEN. *El Evangelio según San Mateo: Comentario del Nuevo Testamento*. Grand Rapids: Subcomisión Literatura Cristiana, 1986, p. 861.

[5] *Mateus: Introdução e comentário*. São Paulo: Vida Nova e Mundo Cristão, 1982, p. 172.

[6] "'Filactérios' eram pequenas caixas de couro ou pergaminho contendo um pedaço de pergaminho com quatro textos da lei escritos nele (Cf. Êx 13.2-10, 11-16; Dt 6.4-9; 11.13-21). Eles eram vestidos no braço ou amarrados na testa, de acordo com Êxodo 13.9,16; Deuteronômio 6.8; 11.18 embora, originalmente, é provável que essas passagens fossem apenas metafóricas. [...] Esse líderes, a fim de mostrar sua piedade ao mundo, faziam filactérios grandes e vistosos. A mesma ostentação afetava o comprimento das franjas usadas por todos os judeus (incluindo Jesus, 9.20; 14.36) na ponta do manto externo, em obediência a Números 15.17-41; Deuteronômio

22.12". D. A. Carson. *O comentário de Mateus.* São Paulo: Shedd Publicações, 2011, p. 551.

[7] *Lições aos meus alunos.* São Paulo: Publicações Evangélicas Selecionadas, 1982, p. 30.

[8] *O livro da sabedoria e das virtudes redescobertas.* Rio de Janeiro: FGV Editora, 2003, p. 119.

[9] *Meditações no evangelho de Mateus.* São José dos Campos: Fiel, 1991, p. 197.

[10] *O perfil do pregador.* São Paulo: Sepal, 1989, p. 106.

[11] Idem, p. 108-109.

[12] *Op. cit.,* p. 17.

[13] *Romanos: A Lei: suas funções e seus limites.* São Paulo: Publicações Evangélicas Selecionadas, 2001, p. 42-44.

[14] "O versículo 14 deve ser entendido como uma interpolação derivada de Marcos 12.40; Lc 20.47. Isso fica claro não só pela ausência dele nos melhores manuscrito e mais antigos MSS de Mateus, mas também pelo fato de que os MSS que o incluem se dividem quanto à sua posição no texto — antes ou depois do versículo 13". D. A. Carson. *O comentário de Mateus.* São Paulo: Shedd Publicações, 2011, p. 555. Mantive o versículo não apenas por estar na RA (Mt 23.14), como também por encontrá-lo em Marcos 12.40 e Lucas 20.47. É, portanto, palavra de Cristo.

[15] *El Evangelio según San Marcos: Comentario del Nuevo Testamento.* Grand Rapids: Subcomisión Literatura Cristiana, 1987, p. 515.

[16] *Igreja centrada.* São Paulo: Vida Nova, 2014, p. 223.

[17] "Os rabis combatiam os abusos de juramento e votos entre as massas analfabetas [...] mas o modo como eles os combatiam era pela diferenciação entre o que era julgamento que obriga e o que não obriga. Nesse sentido, intencionalmente ou não, acabavam por encorajar votos evasivos e, portanto, a mentira. Jesus corta essas complexidades ao insistir que os homens devem dizer a verdade". D. A. Carson. *O comentário de Mateus.* São Paulo: Shedd Publicações, 2011, p. 557.

[18] *Op. cit.,* p. 198.

268 | AZORRAGUE

[19] "Em realidade, como era habitual entre eles, exageraram dando ao Senhor a décima parte das pequenas ervas aromáticas que cultivavam em seus jardins, e exigindo de seus seguidores que fizessem o mesmo. Segundo entendiam, a menta 'aromática', o famoso endro e as delicadas sementes de cominho, todas elas usadas para condimentar alimentos, por certo deveriam ser dizimadas! Muito embora na Lei de Moisés não se diz uma só palavra quanto a dizimar essas coisas". William HENDRIKSEN. *El Evangelio según San Mateo: Comentario del Nuevo Testamento*. Grand Rapids: Subcomisión Literatura Cristiana, 1986, p. 871-872.

[20] Eric METAXAS. *Bonhoeffer: Pastor, mártir, profeta, espião*. São Paulo: Mundo Cristão, 2011, p. 344.

[21] Idem, p. 505.

[22] "Estava para chegar a Páscoa dos judeus. Isso significava que os peregrinos, que chegavam em grande quantidade a Jerusalém de todas as direções, viam nas cercanias da cidade muitos sepulcros caiados. Umas poucas semanas antes haviam pintado com cal em pó as tumbas para que fossem vistas impecavelmente limpas, bonitas e elegantes à vista. Desse modo, eles os tornavam mais visíveis, a fim de que nenhum peregrino se fizesse cerimonialmente 'imundo' ao entrar inadvertidamente em contato com um cadáver ou um osso humano". William HENDRIKSEN. *El Evangelio según San Mateo: Comentario del Nuevo Testamento*. Grand Rapids: Subcomisión Literatura Cristiana, 1986, p. 875.

[23] Esse é o sentido em que uso a palavra "profeta". Não creio que hoje tenhamos homens em condição de falar com o mesmo nível de autoridade dos profetas e apóstolos. O fundamento da Igreja já foi estabelecido. Contudo, há homens que revelam impressionante capacidade de discernir os tempos, e aplicar a Palavra de Deus com alto nível de pertinência. Vejo Agostinho, Lutero, Calvino, Bonhoeffer, Martin Luther King, Martyn Lloyd-Jones e John Stott como homens que tiveram esse dom.

[24] "A razão pela qual Jesus diz 'desde Abel até Zacarias' é que, segundo a ordem dos livros na Bíblia hebraica, Gênesis

NOTAS | **269**

(portanto, Abel) está em primeiro lugar e Crônicas é o último livro (onde aparece Zacarias)". William HENDRIKSEN. *El Evangelio según San Mateo: Comentario del Nuevo Testamento*. Grand Rapids: Subcomisión Literatura Cristiana, 1986, p. 879.

[25] Simon Sebag MONTEFIORE. *Jerusalém: A biografia*. São Paulo: Companhia das Letras, 2013, p. 29-39.

[26] A honra agora caberia a uma comunidade internacional, formada por homens e mulheres de todas as nações: a Igreja de Cristo.

Capítulo 5

[1] *Cristianismo puro e simples*. Rio de Janeiro: Thomas Nelson, 2017, p. 166.

[2] *The Marrow Theology*. Grand Rapids: Baker Books, 1997, p. 313.

[3] Julgo que o ateísmo e a negação da possibilidade de se conhecer a Deus deveriam conduzir o homem ao desespero. Mas, como o pecado pode assumir direções diferentes e não respeita pensamento lógico, nem sempre quem afirma a inexistência de um Criador pessoal (fundamento único de qualquer noção de sentido para a existência humana) experimenta a angústia metafísica. Sendo assim, negar Deus, sua revelação e valores morais absolutos pode levar uma pessoa a se sentir muito bem consigo num universo de normas morais consideradas socialmente construídas, relativas e medíocres, que faz a culpa moral ser atenuada por motivos filosóficos.

[4] Expressão cunhada por Tomás de Aquino.

[5] *The Ten Commandments*. Carlisle: The Banner of Truth Trust, 1999, p. 6-7.

[6] *Op. cit.*, p. 166.

[7] *As parábolas de Jesus*. São Paulo: Cultura Cristã, 2002, p. 242.

[8] *As parábolas de Jesus*. São Paulo: Paulinas, 1986, p. 143.

[9] *Comentário do Novo Testamento: Lucas — Volume 2*. São Paulo: Cultura Cristã, 2003, p. 381-382.

[10] *The Religious Affections*. Carlisle: The banner of truth trust, 1997, p. 19.

[11] *Op. cit.*, p. 144.

[12] Leon MORRIS. *Lucas: Introdução e comentário*. São Paulo: Vida Nova, 1983, p. 249.

[13] *Op. cit.*, p. 383.

[14] J. D. DOUGLAS. *O novo dicionário da Bíblia*. São Paulo: Vida Nova, 1983, p. 1346-1347.

[15] *Entre os gigantes de Deus*. São José dos Campos: Fiel, 1996, p. 47-48.

[16] Cf. Jo 4.23.

[17] Louis BERKHOF. *Teologia sistemática*. Campinas: Luz para o Caminho, 1994, p. 517.

[18] *Interpretação do Novo Testamento: Gálatas e Tito*. São Leopoldo: Comissão Interluterana de Literatura, 2008, p. 262-263.

[19] Aprendi essa expressão com Joachim Jeremias. Acho-a linda.

[20] Cf. Romanos 1.

[21] Cf. Romanos 3.

[22] *Hinário Presbiteriano — Hino 260*. São Paulo: Casa Editora Presbiteriana, p. 229.

Conclusão

[1] Cf. Is 64.1-4.

Sobre o autor

Antônio Carlos Costa é fundador da ONG Rio de Paz (filiada ao Departamento de Informação Pública da ONU), jornalista, teólogo e plantador e pastor da Igreja Presbiteriana da Barra, no Rio de Janeiro (RJ). Autor dos livros *Convulsão protestante: Quando a teologia foge do templo e abraça a rua* e *Teologia da trincheira: Reflexões e provocações sobre o indivíduo, a sociedade e o cristianismo*, publicados pela editora Mundo Cristão. É casado com Adriany e pai de três filhos: Pedro, Matheus e Alyssa.

Compartilhe suas impressões de leitura escrevendo para:
opiniao-do-leitor@mundocristao.com.br
Acesse nosso *site*: www.mundocristao.com.br

Equipe MC:	Maurício Zágari (editor)
	Ana Paz
	Felipe Marques
	Natália Custódio
Diagramação:	Luciana Di Iorio
Gráfica:	Imprensa da Fé
Fonte:	Sabon LT Std
Papel:	Pólen Soft 70 g/m² (miolo)
	Cartão 250 g/m² (capa)